Roland Papenfuß
Alltag im Büro

Eventuelle Kommafehler bitten wir zu entschuldigen. Ziel des Verlags war es, ein Buch mit exakt 2563 Kommas zu publizieren. Dass diese Aufgabe für den Autor nicht leicht umzusetzen war, versteht sich von selbst.

Roland Papenfuß

Alltag im Büro

24 Geschichten, die wahr sein könnten

PUBLICIS

Bibliografische Information Der Deutschen Bibliothek

Die Deutsche Bibliothek verzeichnet diese Publikation in der
Deutschen Nationalbibliografie; detaillierte bibliografische Daten
sind im Internet über http://dnb.ddb.de abrufbar.

ISBN 3-89578-214-9

Verlag: Publicis Corporate Publishing, Erlangen
            http://www.publicis-erlangen.de/books

Lektorat: Dr. Gerhard Seitfudem

© 2003 by Publicis KommunikationsAgentur GmbH, GWA, Erlangen

Warum dieses Buch entstand

Tagaus, tagein machen sich morgens Millionen von kleinen und großen Helden und Heldinnen auf den Weg ins Büro. Sie kämpfen einen aussichtslosen Kampf gegen Rundschreiben, Aktenordner und neuerdings gegen E-Mails. Sie langweilen sich in endlosen Besprechungen zu Tode oder regen sich über das Essen in der Kantine auf.

Sieben, acht oder zehn Stunden am Tag erleben sie dabei gewollt oder ungewollt Geschichten, die ich nur noch niederschreiben musste, um dieses Buch vollenden zu können. Genauso funktionieren auch das Leben und Überleben im Büro: Andere für sich arbeiten lassen, die Ergebnisse einsammeln und als die eigenen verkaufen. Manche unverdiente Karriere hat so begonnen.

Aus diesem Grunde widme ich dieses Buch nicht den Chefs, den Prokuristen, dem mittleren und oberen Management, auch nicht den Vorstandsvorsitzenden und Aufsichtsräten, sondern den stets freundlichen Pförtnern, den Kaffee kochenden Sekretärinnen und den unermüdlichen Sachbearbeitern.

Keinesfalls will ich jedoch behaupten, dass alle Karrieren unverdient sind.

Es müsste doch mit dem Teufel zugehen, wenn unter den Vorgesetzten nicht einige wären, die aufgrund guter Leistungen aufgestiegen sind. Die in diesem Buch agierenden Vorgesetzten sind – wie alle anderen Personen – auf jeden Fall frei erfunden. Ähnlichkeiten und Namensgleichheiten sind rein zufällig oder sind möglicherweise das Ergebnis von Telepathie.

Jetzt muss ich aber Schluss machen. Mein Chef kommt gerade zur Türe herein und er muss nicht unbedingt wissen, was ich während meiner Arbeitszeit mache …

Inhalt

Der Fall Nuchtsnitz 9

Der schnurlose Sklave 17

Der Neue 23

Vom Sterben, Erben und Werben 29

Wie man Arbeitsmittel spart 39

Der Stift 47

Der letzte Saurier 51

Müsli-Manni 61

Der chinesische Trick 69

Die Macht der Zylinder 79

Die Null und die Nullen 87

Das Gerücht 93

Spaß mit Wichteln 99

Zeit für Verbesserungen 105

Warum die Fusion zwischen Müller AG und 115
Maier KG scheitern musste

Die Kunst des Kommerziellen 119

Immobilien B-in-B 125

Der Spesenritter 129

Der Scherzbold 135

Miss Verständnis 143

Stunde der Entscheidung 147

Wie Manfred Molta seine Erfüllung fand 155

Wie der Nikolaus richtig arbeiten musste 161

Glühwein auf Mallorca 165

Der Fall Nuchtsnitz

Bis in die Chefetage hatte sich herumgesprochen, dass Adalbert Nuchtsnitz innerlich gekündigt hatte. Tag für Tag erschien er lustlos zur Arbeit, führte hier und da ein Schwätzchen, achtete aber immer darauf, den Bogen nicht zu überspannen, um eine Kündigung zu vermeiden. Kein Wunder, dass er nicht nur bei seinem direkten Vorgesetzten in Ungnade gefallen war.

„Herr Besen, ist Ihnen inzwischen eine Lösung gekommen, wie wir den Fall Ihres Mitarbeiters Nuchtsnitz lösen können?", erkundigte sich die Personalchefin zum wiederholten Male.

Heinrich Besen war der Resignation schon ziemlich nahe: „Frau Korb, ich weiß wirklich nicht mehr, was ich machen soll. Der Nuchtsnitz bietet einfach keine Angriffsfläche. Immer wenn ich glaube, endlich etwas zu haben, womit ich ihn drankriegen könnte, windet er sich aus der Sache wieder heraus. Am schlimmsten dabei ist, dass er nicht nur selbst nichts arbeitet, nein, er hält die Kollegen auch noch von der Arbeit ab. Aber da ich Sie gerade spreche – Sie können mir bestimmt eine Frage zum Thema Gehaltserhöhung beantworten."

„Was haben Sie denn für ein Problem, Herr Besen?", fragte Gisela Korb.

Heinrich Besen druckste herum: „In den nächsten Wochen werden doch die Gehaltsgespräche geführt und in diesem Jahr müsste ich eigentlich wieder eine Erhöhung bekommen. Nun zahle ich sowieso schon einen Haufen Steuern. Was wäre eigentlich, wenn ich keine Gehaltserhöhung erhalten würde, sondern jeden Monat ein Geschenk – dann würde ich doch die Steuern sparen, oder?"

Gisela Korb musste lachen: „Mein lieber Herr Besen, wo denken Sie hin! Wir könnten Ihnen zwar jeden Monat eine Waschmaschine schenken, aber Sie müssten das Geschenk als geldwerten Vorteil versteuern. Nein, nein, so einfach geht das nicht."

Verschämt und enttäuscht verabschiedete sich Heinrich Besen. Tagelang wurmte ihn die Abfuhr der Personalchefin. Allerdings wurde er durch seinen Problemfall Nuchtsnitz abgelenkt, denn einmal mehr war dieser mit seiner mangelnden Arbeitsleistung aufgefallen. Die Lage spitzte sich bedrohlich zu und Heinrich Besen musste wieder bei der Personalchefin antreten.

„Herr Besen, so kann es nicht mehr weitergehen. Der Fall Nuchtsnitz muss gelöst werden, und zwar schnell. Können Sie diesen Menschen nicht überreden, den Arbeitsvertrag im beiderseitigen Einvernehmen aufzulösen? Wir sind bereit, ihm eine Abfindung in Höhe eines Jahresgehaltes zu geben. Damit müssten wir ihn doch ködern können. Uns wäre damit ebenfalls geholfen, auch wenn die Summe schmerzt."

Heinrich Besen war ratlos: „Liebe Frau Korb, ich habe dem Nuchtsnitz schon auf den Zahn gefühlt. Er will zwei Jahresgehälter."

Gisela Korb schüttelte den Kopf: „Ausgeschlossen, ausgeschlossen. Wir können doch Faulheit nicht noch mit zwei Jahresgehältern belohnen. Herr Besen, lassen Sie sich etwas anderes einfallen. Der Fall Nuchtsnitz ist Ihr ganz persönlicher Problemfall."

Heinrich Besen seufzte und dachte angestrengt nach. Was hatte er nicht schon alles unternommen. Er hatte endlose Gespräche mit dem Betriebsrat geführt, hatte die Gesetzesbücher gewälzt, mit einem befreundeten Anwalt diskutiert, doch eine Lösung war ihm nicht eingefallen.

„Ach, Frau Korb, ich weiß ehrlich nicht mehr weiter. Und mir widerstrebt es ganz grundsätzlich, diesem Kerl eine solche Summe zu überweisen. Das wäre doch geradeso, als würden wir ihm für sein Nichtstun auch noch eine Prämie geben. Das einzige, was mich daran freuen würde, ist, dass er davon einen Haufen Steuern zahlen müsste."

Hier stockte Heinrich Besen, er überlegte einen Moment und dann rief er: „Ich hab's, Frau Korb! Ich hab's! Wir müssen Herrn Nuchtsnitz unseren Dank bekunden. Wir sollten ihn reich beschenken und damit so nebenbei ganz genüsslich mobben. Frau Korb, können wir die Gehaltsabrechnung für diesen Monat zurückhalten? Die Überweisung und den Gehaltszettel?"

Gisela Korb nickte: „Das ließe sich schon machen. Aber so ganz verstehe ich nicht, wie Sie damit den Fall lösen wollen."

Heinrich Besen antwortete der Personalchefin erst einmal nur, dass er sich des Erfolges ganz und gar sicher wäre.

Drei Tage später erhielt Adalbert Nuchtsnitz ein freundliches Schreiben seines Chefs, der sich für das besondere Engagement im vergangenen Halbjahr bedankte und als Prämie eine Waschmaschine ankündigte.

Adalbert Nuchtsnitz war misstrauisch. Er hatte eine Kündigung erwartet, oder wenigstens eine Abmahnung. Sollte ihm jemand einen Streich gespielt haben? Er wusste, dass er bei den Kollegen nicht beliebt war. Allerdings sah die Unterschrift täuschend echt aus. Nuchtsnitz legte das Schreiben beiseite. Obwohl es ihn wurmte, von den Kollegen genarrt worden zu sein, dachte er bis zum Abend nicht mehr an diesen merkwürdigen Brief.

Umso größer war seine Überraschung, als er am Abend nach Hause kam und seine Frau ihn freudestrahlend empfing: „Schatz, das hättest Du mir aber ankündigen können! Ich war total überrascht, als es klingelte und zwei Männer diese tolle Waschmaschine gebracht haben. Sie sagten, es sei eine Prämie für Deine guten Leistungen. Richtig stolz bin ich auf Dich."

Adalbert Nuchtsnitz war verblüfft und gleichzeitig fühlte er sich geschmeichelt. Also war das Schreiben doch echt gewesen. Am nächsten Arbeitstag wurde der Beschenkte nicht müde, allen Kollegen zu berichten, dass seine Leistung endlich Anerkennung gefunden hatte.

Die nächste Woche begann mit einer weiteren Überraschung. Die Personalchefin teilte ihm mit, dass man zur Motivation der Belegschaft eine neue Auszeichnung in der Firma eingeführt hätte und die Wahl zum Mitarbeiter des Monats auf ihn gefallen wäre. Als Dankeschön würde ihm ein teurer Farbfernseher zuteil werden. Und bereits am gleichen Abend stand tatsächlich ein wertvoller Fernseher im Wohnzimmer. Der geschmeichelte Mitarbeiter konnte sein Glück gar nicht fassen.

Spätestens als zwei Tage später die nächste leistungsbezogene Sonderprämie angekündigt wurde, hätte Adalbert Nuchtsnitz misstrauisch werden müssen. Doch Eitelkeit macht blind. Und noch bevor der Monat vergangen war, hatte er zwölf Sachprämien erhalten, unter anderem eine wertvolle Digitalkamera, von der er schon seit langem geträumt hatte.

Getrübt wurde seine Freude lediglich dadurch, dass sein Gehalt am Monatsende nicht pünktlich überwiesen wurde und er auch keine Abrechnung bekommen hatte. Natürlich reklamierte er telefonisch bei der Personalabteilung, wo man ihn sogar direkt zur Chefin durchstellte, die ihn jedoch gleich beruhigte:

„Lieber Fall – äh, ich meine – lieber Herr Nuchtsnitz, ich kann natürlich verstehen, dass Sie beunruhigt sind. Wir haben eine neue Software für die elektronische Abrechnung eingeführt und offensichtlich läuft sie noch nicht stabil. Ich versichere Ihnen, dass Sie das Ihnen zustehende Gehalt spätestens mit der nächsten Abrechnung erhalten werden. Ich habe außerdem mit der Geschäftsleitung vereinbart, dass wir in Fällen wie dem Ihren 15% Verzugszinsen zahlen werden. Sie können also einen Kurzkredit aufnehmen, wenn Sie durch dieses verflixte Softwaredilemma in einem finanziellen Engpass stecken."

Mit dieser Aussage konnte Adalbert Nuchtsnitz gut leben, und er ließ die Angelegenheit auf sich beruhen, zumal er es sich mit keiner Führungskraft verscherzen wollte.

Als kurz darauf wieder eine Sachprämie angeliefert wurde, fühlte er sich in seiner Haltung bestätigt. Allerdings jammerte seine Frau über die zunehmende Ebbe in der Familienkasse. Nuchtsnitz nahm einen Kredit auf. Jubelnd verkündete er seiner Frau, selbst hierbei noch ein Geschäft zu machen, denn die Bank verlangte nur 11% Zins.

Woche für Woche zog ins Land und weiterhin wurde der unbequeme Mitarbeiter mit Sachprämien überhäuft. Mal war der Grund ein gewonnenes Preisausschreiben, an dem er nie teilgenommen hatte, ein anderes Mal war der Anlass das 25-jährige Jubiläum, obwohl Adalbert Nuchtsnitz eigentlich schon 26 Jahre in der Firma war. Im Nu war das Ende des

Monats erreicht und mit Spannung erwartete Nuchtsnitz seine Gehaltsabrechnung, die nach seinen Hochrechnungen den doppelten Betrag als üblich hätte ausweisen müssen.

Als er das Kuvert öffnete, wanderte sein Blick nach unten zum Auszahlungsbetrag. Adalbert Nuchtsnitz las die Summe, stutzte und sah noch einmal auf den Betrag. Ganze 15 Cent waren als Überweisungssumme aufgeführt; 2 Cent davon waren Zinsen.

Nuchtsnitz überprüfte die Abrechnung. Die beiden Bruttomonatsbezüge waren richtig. Dann folgte eine lange, lange Liste von Gegenständen, hinter denen jeweils der Vermerk „Geldwerter Vorteil" zu lesen war. Vor den dazugehörigen Beträgen prangte ein dickes Minuszeichen. Adalbert Nuchtsnitz eilte zur Personalabteilung, stürmte wutentbrannt ins Büro der Chefin und verlangte Aufklärung.

Die Personalchefin blieb ruhig und erläuterte die Situation: „Lieber Herr Nuchtsnitz, Sie dürfen sich nicht vom Auszahlungsbetrag täuschen lassen. Natürlich bekommen Sie Ihre zwei Monatsgehälter, wie Sie es ja Ihrer Gehaltsabrechnung eindeutig entnehmen können. Aber Sie haben in den vergangenen zwei Monaten zusätzlich einiges an Sachzuwendungen bekommen, die in Summe gut ein halbes Jahresgehalt ausmachen. Leider schreibt uns der Gesetzgeber vor, dass wir Ihnen dafür einen Steueranteil abziehen müssen. So leid es mir tut, Sie müssen sich damit trösten, dass Ihr Haushalt zwar mit vielen schicken neuen Sachen bestens ausgestattet ist, doch Ihr Konto wird wohl leer bleiben. Und soweit ich weiß, möchte man Ihre Verdienste um unsere Firma auch weiterhin mit Sachzuwendungen und Prämien entsprechend Ihrer besonderen Wertigkeit würdigen."

In der Kantine traf die Personalchefin Heinrich Besen. „Hallo Herr Besen", lachte Sie ihn an, „wir haben einen

Grund zum Feiern! Der Fall Nuchtsnitz ist gelöst. Der Arme hat heute seine Gehaltsabrechnung erhalten. Besonders hoch kann der Auszahlungsbetrag nicht gewesen sein, denn er war völlig aus dem Häuschen. Zum Schluss schrie er, er können es sich nicht mehr länger leisten, in unserer Firma zu arbeiten. Und dann hat er fristlos gekündigt. Es ist Ihnen sicher recht, dass ich das nur unter äußersten Bedauern akzeptiert habe."

Heinrich Besen fiel ein Stein vom Herzen. Drei Wochen später erhielt er die erwartete Gehaltserhöhung. „Lieber Herr Besen," sagte sein Chef, „herzlichen Glückwunsch! Die Gehaltserhöhung haben Sie vor allem Ihrer genialen Idee zu verdanken, Ladenhüterprodukte als Mitarbeiterprämien einzusetzen. Da kann ich nur sagen: Weiter so!"

Der schnurlose Sklave

Beethovens Neunte war der erste Klingelton, den der Buchhalter Kurt Kahl an seinem neuen Handy einstellte. Lange Zeit hatte er sich gesträubt, einer von diesen Pseudo-Managern zu werden, die ihre Wichtigkeit mit so einem kleinen Stück Kommunikationstechnik dokumentieren mussten. Nun aber war er durchaus stolz, dem Kreis der Dauertelefonierer anzugehören, und er konnte es schon gar nicht mehr erwarten, den ersten Anruf zu bekommen.

Als er von seinem Chef zu einem Vier-Augen-Gespräch gerufen wurde, hätte er fast vergessen, sein Handy einzustecken. Im Hinausgehen aus dem Büro fiel ihm aber gerade noch ein, es seitlich an seinen Gürtel zu befestigen. Er empfand das überlegene Gefühl eines Revolverhelden, der dem Feind entgegengeht, immer bereit, mit einem blitzschnellen Griff zum Colt zu greifen, um dann zu beweisen, dass er der Beste ist. Selbstbewusst klopfte Kurt Kahl an die Tür. Diesmal wartete er nicht erst auf das „Herein", sondern drückte im gleichen Moment die Klinke herunter und betrat das Büro. Zum ersten Mal in seinem zwanzigjährigen Berufsleben fühlte er sich seinem Chef ebenbürtig.

Der aber herrschte ihn an: „Was stehen Sie denn hier so rum? Setzen Sie sich!"

Noch vor einer Woche hätte Kurt Kahl keine zwei Sekunden gebraucht, um den Befehl in die Tat umzusetzen. Mit dem Handy bewaffnet ließ er sich jedoch aufreizend lange Zeit, um den Platz gegenüber seinem Chef einzunehmen.

Wie üblich begann der Chef die Besprechung mit einem langen Monolog. Während Kurt Kahl sonst jedes Wort genau beachtete, war er diesmal nur mit halbem Ohr dabei, denn er konzentrierte sich gleichzeitig auf sein Handy.

Warum um alles in der Welt blieb es stumm? Warum kam kein Klingelzeichen, um dem Chef zu zeigen, wie unentbehrlich Kurt Kahl an seinem Arbeitsplatz war? Nervös geworden, versuchte Kurt Kahl das Gespräch in die Länge zu ziehen. Aber so sehr er sich auch mühte, das Handy blieb stumm. Als er schließlich merkte, dass sein Chef ungeduldig wurde, trat er dann doch den Rückzug an.

Endlich! Gerade als er das Büro verlassen wollte, ertönte Beethovens Neunte. Ohne sich umzudrehen, innerlich triumphierend, griff Kurt Kahl zum Handy: „Ja, natürlich, ich bin schon auf dem Weg. Mein Gott, Sie werden doch einmal ohne mich auskommen", waren seine Worte, die er in das Mikrofon sprach, nachdem er die grüne Taste gedrückt hatte. Dass die Miene des Chefs sich schon beim ersten Klingelton verdunkelt hatte, bekam er nicht mehr mit.

Am nächsten Tag stand im Terminkalender eine wichtige Besprechung. Kurt Kahl wollte diesmal nichts dem Zufall überlassen. Ein Bekannter hatte ihn auf die Idee gebracht, über das Telefonamt einen Weckruf zu veranlassen. Morgens um neun Uhr sollte die Besprechung beginnen. Kurt Kahl wusste, dass ein Ende vor zehn Uhr nicht zu erwarten war und programmierte den Weckruf auf fünf Minuten vor zehn. Natürlich betrat er das Besprechungszimmer erst mit einer zehnminütigen Verspätung, und er genoss es, die Blicke auf sich zu ziehen, wie er in der geöffneten Türe stand, den rechten Arm leicht angewinkelt herunterhängend, stets bereit, sein Handy zu zücken. Der Chef musterte ihn kurz von oben nach unten und schnauzte ihn an: „Herr Kahl, die

Besprechung läuft seit zehn Minuten. Setzen Sie sich, aber flott!"

An der Besprechung beteiligte sich Kurt Kahl kaum. Statt dessen sah er immer wieder ungeduldig auf die Uhr, deren Zeiger sich 9:55 Uhr näherten. Dann ertönte Beethovens Neunte. Noch bevor Kurt Kahl zu seinem Handy greifen konnte, rief es von überall schadenfroh: „Zehn Euro!"

Kurt Kahl war so erschrocken, dass er nach der grünen sofort die rote Taste drückte, um das Handy wieder verstummen zu lassen. Noch bevor er selbst fragen konnte, was es mit dem vereinten Ruf seiner Kollegen auf sich hatte, murrte sein Chef: „Ich habe am Anfang dieser Besprechung ausdrücklich darauf hingewiesen, dass ich in derartigen Besprechungen kein Handyklingeln hören möchte. Wenn Sie pünktlich gewesen wären, hätten Sie gewusst, dass das zehn Euro kostet."

Mit diesem Satz beendete der Chef wutentbrannt die Besprechung und Kurt Kahl kehrte wie ein begossener Pudel in sein Büro zurück. So hatte er sich seinen Einstand in die Reihe der wichtigen Manager nicht vorgestellt. Fortan zog er es vor, beim Verlassen des Büros das Handy an das Ohr zu halten und so zu tun, als ob er ein wichtiges Gespräch zu führen hätte. Bei Besprechungen mit seinem Chef hatte er zwar sein Handy nach wie vor dabei, schaltete es aber tunlichst vorher ab.

Drei Wochen später musste Kurt Kahl bei seinem Chef antreten, der seinen Ärger bei ihm ablud: „Herr Kahl, ich weiß überhaupt nicht, warum Sie ein Handy besitzen. Gestern hätte ich Sie dringend gebraucht und habe versucht, Sie auf dem Handy anzurufen. Das hatten Sie natürlich abgeschaltet. So geht das nicht. Ich möchte, dass Sie zumindest über das Handy jederzeit erreichbar sind."

Kurt Kahl schluckte und fügte sich widerspruchslos seinem Schicksal. Als er am Abend dieses unerfreulichen Arbeitstages nach Hause fuhr, klingelte das Handy. Er stand gerade an einer Ampel, neben ihm wartete eine Polizeistreife. Sollte er sich am Handy melden, wie sein Chef es verlangt hatte? Kurt Kahl zögerte, aber weil Beethovens Neunte nicht aufhören wollte, führte er sein Handy möglichst unauffällig ans Ohr. „Hier Kahl", meldete er sich und vernahm im gleichen Moment die Stimme seines Chefs: „Ach Sie sind es, Herr Kahl. Entschuldigung, da habe ich mich verwählt. Eigentlich wollte ich meine Frau anrufen. Auf Wiederhören."

Kurt Kahl, der in der Zwischenzeit losgefahren war, legte das Handy auf den Beifahrersitz und sah vor sich eine rote Kelle. Zu allem Ärger des Tages kam nun noch eine Verwarnung. Verärgert ging er spät am Abend ins Bett. Das Handy legte er sorgsam auf den Nachttisch. Schlaf fand er allerdings nicht, zu groß war der Ärger über die polizeiliche Verwarnung, die Verwarnung des Chefs und vor allem aber die Sorge, den Klingelton in der Nacht überhören zu können. Gerädert erschien Kurt Kahl am nächsten Tag zur Arbeit. Von nun an begann er, sein Handy zu hassen.

Die folgenden drei Nächte verliefen kaum anders. Kurt Kahl schleppte sich nur noch mühsam zu seinem Schreibtisch. Einzig der Ausblick auf das nahende Wochenende gab ihm noch Kraft, die Stunden im Büro durchzuhalten.

Am Samstag ging Kurt Kahl früher als gewöhnlich ins Bett. Diesmal, so hatte er sich vorgenommen, würde er durchschlafen, denn der Chef war übers Wochenende verreist und ein Anruf nicht zu erwarten. Kurt Kahl schloss die Augen und eine Viertelstunde später wechselte er ins Reich der Träume. Aber auf einmal war sie wieder da. Beethovens

Neunte. Jäh wurde er aus seinem Schlaf gerissen. Sein Herz schlug heftig. Schlaftrunken, noch nicht bei sich, tastete er nach seinem Handy. Es dauerte lange, bis er fündig wurde. Mit zusammengekniffenen Augen versuchte er, den grünen Knopf zu finden. Nachdem er ihn gedrückt hatte, presste er sein Handy ans Ohr, doch außer Beethovens Neunter war nichts zu hören. Sein Puls raste. Er versuchte, sich zu konzentrieren. Hatte er den falschen Knopf erwischt?

Nein, Beethovens Neunte kam nicht aus dem Handy, sondern von der Wand gegenüber. Sie drang direkt durch die Wand ins Schlafzimmer. Er dachte nach: Der neue Nachbar! Ein Klassikfan und Freund der späten Stunde! Erschöpft und schweißgebadet ließ sich Kurt Kahl in sein Kissen fallen. Wieder eine Nacht, in der an Schlaf nicht mehr zu denken war.

Montagnachmittag meldete er sich beim Betriebsarzt. Es war weniger die Schlaflosigkeit, die ihn ins Wartezimmer trieb, als vielmehr eine Platzwunde am Kinn. Er war am Arbeitsplatz eingenickt und mit dem Unterkiefer auf die Schreibtischkante aufgeschlagen. Während der Betriebsarzt die Wunde versorgte, stammelte Kurt Kahl:

„Handy. Wo ist mein Handy? Ich muss bereit sein. Hat es geklingelt?" Weiter kam er nicht, denn mit lautem Getöse fiel er bewusstlos vom Stuhl.

Als er aufwachte, schaute er sich um. Die Umgebung war neu. Die weiße Bettwäsche, das Metallbett, der klapprige Nachttisch und die weißen Wände ließen ihn ahnen, in einem Krankenhaus zu sein. Tatsächlich kam genau in diesem Moment eine Krankenschwester ins Zimmer: „Hallo, Herr Kahl. Sind Sie endlich aufgewacht? Drei Tage haben Sie durchgeschlafen. Jetzt sind Sie bestimmt hungrig."

Kurt Kahl erschrak, drehte den Kopf blitzschnell zur Seite in Richtung Nachttisch und fragte aufgeregt: „Wo ist mein Handy? Ich muss erreichbar sein. Mein Gott, wenn mein Chef schon probiert hat, mich anzurufen!"

Die Krankenschwester versuchte, ihn zu beruhigen: „Keine Sorge, Herr Kahl. Sie sind krankgeschrieben. Sie müssen nicht erreichbar sein. Stattdessen sollten Sie versuchen, sich zu erholen."

„Jederzeit", schrie Kurt Kahl hysterisch, „jederzeit muss ich erreichbar sein, hat mein Chef gesagt. Immer! Tag und Nacht! Ich muss mein Handy haben!"

Die Krankenschwester rannte aus dem Zimmer und holte einen Arzt, der ihm sofort eine Beruhigungsspritze gab.

Beim nächsten Erwachen war er gefasster. Er überlegte, wie lange er diesmal geschlafen haben könnte. Ein Klopfen an der Türe riss ihn aus seinen Überlegungen.

Der Chef trat ein: „Guten Morgen, Herr Kahl, Sie machen ja Sachen. Kippen einfach aus den Latschen."

Kurt Kahl nickte kaum merklich und lächelte gequält. Noch bevor er etwas sagen konnte, hielt ihm sein Chef ein Geschenk entgegen. Es hatte die Form einer CD. Obwohl Kurt Kahl eigentlich kaum Interesse daran hatte, packte er die CD höflichkeitshalber aus. Dann schrie er laut auf. Er sah ein Portrait Beethovens, und immer wieder las er die dicken Buchstaben „Symphonie Nummer 9, Symphonie Nummer 9, Symphonie Nummer 9 …"

Ein halbes Jahr später wollte ihn der Chef wieder besuchen. Kurt Kahl war längst in eine andere Klinik überwiesen worden. Doch der behandelnde Arzt meinte, dass ein Besuch nicht ratsam wäre, da Kurt Kahl noch leicht aus dem seelischen Gleichgewicht zu bringen sei. Und in seiner Zwangsjacke wäre er kein erfreulicher Anblick.

Der Neue

„Zählt doch einfach eins und eins zusammen, dann werdet ihr sehen, dass ich recht habe!", ereiferte sich Weber aus der Buchhaltung. Er hielt kurz inne, zog an seiner Zigarette und spekulierte weiter: „Wir wissen doch alle, dass es der Firma bescheiden geht. Glaubt ihr denn ernsthaft, dass man in einer solchen Situation noch einen neuen Mitarbeiter einstellt? Nein, ich sage euch, ich sage euch, dass der Neue ein Unternehmensberater ist, der die Aufgabe hat, Köpfe rollen zu lassen. Jawohl – Köpfe rollen zu lassen."

Lotter und Mathies vom Vertrieb schluckten. Auch ihnen war es in den letzten Tagen nicht entgangen, dass sich der Neue recht sonderbar verhielt.

„Meinst du wirklich?", fasste Lotter mit zittriger Stimme nach.

Wie gewöhnlich fiel ihm Mathies ins Wort: „So kurz vor Weihnachten werden die uns doch nicht entlassen! Der Neue soll Schwung in den Laden bringen. Es geht aufwärts. Erst gestern habe ich zwei Dutzend Eierkocher verkauft und heute morgen – haltet euch fest – kam ein Auftrag über drei Messergarnituren herein."

„Drei Messergarnituren, drei Messergarnituren! Die hat wahrscheinlich der Neue bestellt. Um unsere Köpfe abzuschneiden. Vier Mal war er gestern beim Chef im Büro. Beim Chef im Büro. Sucht euch lieber gleich einen anderen Arbeitsplatz." Weber drückte seine Kippe aus, drehte sich um, murmelte etwas von einem wichtigen Termin und verließ das Besprechungszimmer.

Am nächsten Morgen saß Lotter am Schreibtisch, vor sich die Zeitung ausgebreitet. Mathies, am Schreibtisch gegenüber, war gerade dabei, auf dem Bildschirm die letzte Mine aufzuspüren, als die Türe aufging.

Der Neue trat ein: „Guten Morgen, die Herren."

In dem Moment, in dem Lotter die Zeitung zusammenfaltete, merkte er, dass es eigentlich schon zu spät war, um das Zeitunglesen zu vertuschen. Ihm war klar, dass der Neue die Lage sofort erfasst hatte. Nun machte Lotter den nächsten Fehler: „Jetzt nur nicht rot werden", hämmerte er sich ein, und gerade dieser Wunsch trieb ihm erst recht das Blut ins Gesicht. Stotternd erwiderte er den Gruß: „Morgen. Äh, ich mache, gerade, äh, Pause. Ich informiere mich, äh, äh, was unsere Mitbewerber machen."

Mathies hatte diese Sekunden genutzt, um Minesweeper zu schließen, und tat geschäftig, gerade so, als hätte er gar nicht wahrgenommen, dass der Neue voller Schwung die Türe aufgerissen hatte. Reaktionsschnell schnappte Mathies das Wort Mitbewerb auf und fiel Lotter einmal mehr ins Wort, der diesmal jedoch durchaus dankbar dafür war: „Habe ich eben Mitbewerber gehört? Die Mitbewerberanalyse ist gleich soweit. Setzen Sie sich doch." Nach einer kleinen Pause fuhr er fort: „Was darf ich Ihnen anbieten?"

Der Neue entgegnete: „Ich bin ja noch nicht lange in der Firma und weiß nicht, wie weit Ihre Kompetenzen reichen und was Sie mir anbieten dürfen."

„Nein, nein, ich meine, was kann ich Ihnen anbieten?", korrigierte sich Mathies. Der Neue konterte prompt: „Ich weiß ja nicht, was Sie alles in Ihrer Bar haben. Eigentlich sollten Sie selber wissen, was Sie mir alles anbieten können."

Mathies musste erst einmal schlucken. Offensichtlich wollte ihn der Neue in die Ecke treiben. „Also ich habe einen Klaren, einen Cognac, einen Haselnusslikör …" Aber dann biss sich Mathies auf die Zunge. Der Neue musste doch glauben, einen Alkoholiker vor sich zu haben.

Zum Glück sprang diesmal Lotter ein, der sich zwar gefangen hatte, dessen Kopf aber noch glühte: „Hubert, hör doch auf zu protzen. Das Einzige, was du anbieten kannst, ist eine Tasse Kaffee. Und selbst die gibt es nur ohne Milch."

Noch bevor der Neue das Wort ergriff, drückte ihm Mathies einen frischen Computerausdruck in die Hand. „Hier ist der Vergleich!" Der Neue sah kurz auf das Papier, bedankte sich und ging hinaus.

Wenige Tage später war Nikolaustag. Als Weber morgens auf seinen Schreibtisch blickte, fiel ihm ein großes weißes Kuvert auf. Ihm schoss sofort durch den Kopf, dass es sich hierbei um die Kündigung handeln müsse. Aufgeregt riss er die Hülle auf und entdeckte zu seiner Überraschung einen Adventskalender – und ein Blatt Papier, auf dem in Handschrift zu lesen war: „Damit es Ihnen leichter fällt, die Tage zu zählen. Einer, der es gut mit Ihnen meint."

Erschüttert ließ sich Weber in seinen Stuhl fallen. Der Neue schien ein Sadist zu sein, dem es nicht genügte, die Firma zu schließen. Nein, er wollte die Zeit bis dahin wohl noch genießen. Weber sprang auf, nahm das Schreiben und den Adventskalender in die Hand und eilte zum Büro von Mathies und Lotter.

„Stellt euch vor, was heute früh auf meinem Schreibtisch lag! Was heute früh auf meinem Schreibtisch lag!", polterte er los, als er den Raum betrat. Lotter und Mathies saßen an ihren Plätzen, sichtlich geknickt. Vor ihnen lagen ebenfalls Adventskalender.

Mit leiser Stimme sagte Lotter: „Jeder Tag eine neue Chance, hat mir der Neue geschrieben. Unterzeichnet war mit …" Weiter kam er nicht.

„Und bei mir stand drauf, dass der Gewinn im Verkauf liegt", ergänzte Mathies.

„Er will uns fertig machen. Er will uns fertig machen." Weber schnappte nach Luft. „Gestern hat der Neue in der Kantine mit einem Japaner gesprochen. Mit einem Japaner. Oder Chinese. Das ist bestimmt der neue Käufer. Wir werden von den Japanern übernommen. Ich halt das nicht aus. Halt das nicht aus. Ich muss wissen, woran ich bin."

Lotter hatte eine Idee: „Wie wäre es, wenn wir uns an die Pulver ranmachen. Als Sekretärin vom Chef muss die doch wissen, was läuft. Wenn sie einer von uns zum Abendessen einlädt, ihr schöne Augen macht …"

„ … dann könnte man etwas aus ihr herausbekommen. Mensch Lotter, das ist eine gute Idee." Mathies konnte sich nicht mehr zurückhalten und fuhr fort: „Ich finde es toll, dass du dich für uns aufopferst. Ich werde mich natürlich an den Kosten für das Abendessen beteiligen."

Weber erkannte sofort, dass er in die gleiche Kerbe schlagen musste, um Lotter in die Enge zu treiben: „Na klar, Lotter, du machst das. Ich würde es ja selbst übernehmen, aber ich weiß, dass die Pulver sich nie mit mir verabreden würde. Aber bei deinem Aussehen und bei deinem Charme, da kann sie nicht wiederstehen. Niemals."

Lotter blieb keine andere Wahl. Wohl oder übel verabredete er sich ein paar Tage vor Weihnachten mit Frau Pulver, einer in die Jahre gekommenen Witwe, der es schmeichelte, doch noch umgarnt zu werden. Am Morgen des 21. Dezember las Lotter wie jeden Morgen im Büro seine Zeitung, als die Türe aufging und Weber und Mathies hereinstürzten. Natürlich wollten sie wissen, was der Abend gebracht hatte.

Lotter fing an zu erzählen: „Ihr glaubt nicht, welches Opfer ich gebracht habe. Ich war mit der Pulver beim Essen. Der Wein floss reichlich und ich dachte, noch im Lokal würde sich ihre Zunge lockern. Ich habe aber keinen Ton aus ihr herausgebracht. Nachts gegen elf hat sie mich noch zu einer Tasse Kaffee zu sich nach Hause eingeladen. Mir schwante nichts Gutes, aber ich hatte ja noch nichts aus ihr herausgebracht. Also bin ich mit nach oben."

„Du hast sie doch nicht etwa …", rief Mathies voller Entsetzen. Schlagartig wich Lotters Bedächtigkeit einer Agressivität, wie sie Mathies bei ihm noch nie erlebt hatte.

„Lass mich ausreden. Lass mich nur einmal ausreden!", schrie Lotter und mit hechelnder Stimme fuhr er fort: „Wir waren kaum oben, da riss mir die Pulver die Kleider vom Leib. Der Wein, Leute, ich hatte doch schon soviel getrunken! Ich konnte mich nicht wehren. Sie war wie ein wildes Tier. Sie stürzte sich auf mich, sie ließ nicht ab von mir, sie hat mich … Bitte erspart mir die Einzelheiten."

„Ja, aber hast du was herausfinden können? Herausfinden können?", bohrte Weber nach.

Lotter seufzte: „Das ist das einzig Erfreuliche an der ganzen Geschichte. Am Morgen danach hat sie mir alles erzählt. Der Neue ist in Wirklichkeit der Sohn vom Geschäftsführer. Er wird ihn zum Jahresbeginn ablösen und hat wohl schon ein exaktes, vielversprechendes Konzept. Am 23. Dezember wird es eine Weihnachtsfeier geben, bei der dieses neue Konzept vorgestellt wird. Da der Juniorchef ein Freund der asiatischen Küche ist, hat er für diesen Tag einen chinesischen Koch engagiert. Daher das Gespräch in der Kantine. Und das Allerbeste ist, dass wir zur Motivation doch ein dickes

Weihnachtsgeld bekommen sollen. Damit die Überraschung umso größer wird, hat uns der Neue die ganze Zeit über nur Theater vorgespielt. Und ihr seid darauf hereingefallen und alle eure Spekulationen sind nur Seifenblasen."

An diesem Tag kamen Lotter, Mathies und Weber nicht mehr zum Arbeiten, weil sie stundenlang diskutierten, wie sie die neue Chance nutzen könnten. Als am Morgen des 22. Dezembers die Einladung zur „Außerordentlichen Versammlung" am Schwarzen Brett hing, waren die drei guter Dinge, während alle anderen Kolleginnen und Kollegen nervös und angespannt wirkten.

Am nächsten Tag nahmen Lotter, Mathies und Weber einträchtig nebeneinander in der Kantine Platz. Der Chef und der Neue traten ein, jeder hielt einen Stapel Umschläge in der Hand. Weber feixte: „Seht mal, die Weihnachtsgelder fallen diesmal so dick aus, dass beide schwer zu schleppen haben. Schwer zu schleppen haben." Grinsend sah Weber in die von Angst und Ungewissheit geprägten Gesichter der Kolleginnen und Kollegen.

Der Chef stellte sich vorne auf ein improvisiertes Podest. Er war sichtlich bewegt, konnte keinen Ton herausbringen und wischte sich stattdessen mit dem Taschentuch einige Tränen aus den Augen. Frau Pulver, der die Reaktion ihres Chefs peinlich war, fing an, die Umschläge zu verteilen, um die Situation zu überbrücken. Als sie Lotter den Umschlag in die Hand drückte, zwinkerte sie ihm schelmisch zu. Lotter sah über die Geste hinweg und riss das Kuvert auf. Er nahm ein Schreiben heraus und, genau wie manch anderer, fing er an zu lesen: „Sehr geehrter Herr Lotter, nachdem unsere Firma in den vergangenen Tagen von einer Unternehmensberatung analysiert worden ist, müssen wir Ihnen leider mitteilen, dass wir Ihnen …"

Vom Sterben, Erben und Werben

Als der alte Firmeninhaber gestorben war und sein Nachfolger, Tim Ferber, sein Amt antrat, betrachtete er es als seine wichtigste Aufgabe, der Müller GmbH & Co KG ein neues Image zu geben. Deshalb trommelte seine Sekretärin kurzerhand die elf Abteilungsleiter zu einer außerordentlichen Sitzung zusammen.

„Meine Herren", begann Tim Ferber seine Ausführungen, „den personellen Wechsel sollten wir zum Anlass nehmen, unser ziemlich angestaubtes Image aufzumöbeln. Wir gelten bei unseren Kunden zwar als traditionsbewusst, aber leider auch als nicht besonders fortschrittlich. Gerade dies ist heute jedoch unabdingbar, wenn wir uns im Markt der Schreibgeräte auf Dauer behaupten wollen. Unser derzeitiger Slogan *Müller – seit 100 Jahren ein Knüller* zeigt nun wirklich nichts von unserer Innovationskraft. Natürlich sollten wir den Slogan schnellstens ändern, uns dabei aber auch sehr genau überlegen, welche Botschaft wir alle künftig gemeinsam nach außen tragen möchten. Aus diesem Grunde sollten wir zuerst über einen internen Slogan nachdenken. Einerseits gibt uns dies Zeit für die Suche nach dem idealen Text und Inhalt, andererseits können wir damit unsere Mitarbeiter motivieren. Lassen Sie uns am Besten gleich brainstormen! Meine Herren, ich bitte um Ihre Vorschläge für den internen Slogan!"

Dem kurzen, aber frenetischen Applaus folgte erst einmal Schweigen. Schließlich wurde dem Fertigungsleiter Gustav

Band die Stille zu peinlich und er meldete sich zu Wort: „Ich habe einen Vorschlag: *Müller – Allerhand am laufenden Band.*" Ferbers Antwort fiel kurz und trocken aus: „Einerseits klingt das sehr dynamisch, andererseits kann ‚Allerhand' auch negativ ausgelegt werden. Weitere Vorschläge?"

Vertriebsleiter Axel Rübensam hatte die Zeit zum intensiven Nachdenken genutzt: *Müller – innovative Knüller in Sachen Füller.* Noch bevor Tim Ferber Stellung beziehen konnte, kanzelte Thomas Trend, der Marketingleiter, den Vorschlag ab: „Werter Kollege, wir suchen einen internen Slogan. Unsere Belegschaft weiß doch, dass wir Füller produzieren. Das müssen wir denen nicht mehr beibringen. Obwohl – dem einen oder anderen Blaukittel traue ich durchaus zu, noch nicht einmal zu wissen, was er da zusammenschraubt. Nichtsdestotrotz, der interne Slogan soll kurz, knapp, knackig unsere Ziele zum Ausdruck bringen. Und zur Zeit ist unser oberstes Ziel, das Ergebnis zu verbessern. Ich würde deshalb empfehlen, dies in den Slogan zu integrieren. Wie wäre es mit einem Spruch in der Art: *An die Arbeit frisch, zieht die Kunden über'n Tisch?*

Spontaner Applaus unterbrach Thomas Trend, der den Slogan eigentlich gar nicht ernst gemeint und nur als Beispiel für die Botschaft formuliert hatte. Aber noch bevor er die Kollegen darüber aufklären konnte, beendete Tim Ferber die Sitzung: „Hervorragend! Einerseits motivieren diese Worte unsere Mitarbeiter, andererseits sagen sie ihnen auch deutlich, welches Ziel wir verfolgen. Herr Trend, leiten Sie die weiteren Schritte ein, damit unsere Mitarbeiter diesen Slogan innerhalb kürzester Zeit verinnerlichen."

Thomas Trend war ein Mann der schnellen Tat. Im Nu war ein Rundschreiben verfasst und ein Auftrag über den Druck von Postern ausgeschrieben. Außerdem ließ er

Spruchbänder anfertigen und überall im Firmengelände aufhängen. An jeder Ecke, in jeder Abteilung und sogar im Chefbüro prangte stolz in dicken Buchstaben: *An die Arbeit frisch, zieht die Kunden übern Tisch.*

Das nächste Meeting der Abteilungsleiter stand bereits unter dem neuen Motto. Tim Ferber dankte zunächst Thomas Trend für die schnelle Verbreitung des Spruches, gab aber zu bedenken: „Meine Herren, einerseits haben wir mit unserem internen Slogan unsere Mitarbeiter wie geplant motiviert, andererseits dürfen wir uns nicht auf unseren Lorbeeren ausruhen. Es ist Zeit, den Slogan für unseren öffentlichen Auftritt zu definieren. Meine Herren, ich bitte um Vorschläge!"

Auf diesen Moment hatte Thomas Trend gewartet. Diesmal war er vorbereitet. Er wollte die Situation nutzen, sich zu profilieren und seine Kompetenz zu beweisen. Um die Spannung zu erhöhen, hielt er in epischer Breite ein Referat über die Hintergründe, die zu seinem kommenden Vorschlag führten: „Liebe Kollegen, ein Firmenslogan ist der konkrete, kommunikative Kristallisationskern aller imagebildenden Kommunikationsmaßnahmen innerhalb des konsumorientierten Kommunikationsmixes. Sein Impact korreliert mit seiner Kürze. Und wenn er quasi independent als Tool um die Kommunikationsstrategie kreiselt, vereint er sich mit der Brand Essence zu höchster Vollendung im kommunikativen Olymp."

Thomas Trend wollte eigentlich weitersprechen, aber Tim Ferber unterbrach ihn wirsch: „Herr Kollege, können Sie das bitte in einem kurzen, knappen Satz formulieren?"

Thomas Trend schluckte und gab kleinlaut bei: „In der Kürze liegt die Würze. Mein Vorschlag für den neuen externen Slogan lautet *Müller Punkt Füller Punkt Knüller Punkt.*

Den Punkt müssen Sie sich natürlich nur denken. Also gelesen wird der Slogan *Müller. Füller. Knüller.* "

Alle Anwesenden nickten, der Slogan war sofort akzeptiert. Thomas Trend wollte diesen Augenblick auskosten und fuhr fort: „Liebe Kollegen, euer Nicken betrachte ich als Zustimmung. Ich schlage vor, dass heute noch die Einladungsschreiben zu einer Pressekonferenz herausgehen. Den Termin für diesen Event setzen wir direkt vor das Weekend. Ich habe außerdem eine Insertion layoutet, die in der Wochenendausgabe unserer Local-News geswitcht werden soll, um den Inpact der Pressrelease zu powern. Mit einem sternengleichen Funkeln auf der goldenen Schreibfeder werden wir unser Spitzenmodell abbilden. Der Star wird zum King."

Den letzteren Teil der Rede hatten die meisten Kollegen zwar nicht verstanden und Thomas Trend hatte den Entwurf der Anzeige eigentlich auch noch nicht fertig, aber der einsetzende Beifall war ihm Signal genug, seinen Plan durchzuziehen.

Im Nu hatte er fünfundzwanzig Einladungen an die Presse versandt und die Anzeige war fast fertig. Gerade wollte er den externen Slogan einsetzen, als das Telefon klingelte. Tim Ferber bat um ein Gespräch, in dem die Details der Pressekonferenz geklärt werden sollten. Thomas Trend sprang auf, nahm Handy, Unterlagen und die Beine in die Hand und sputete zum Büro seines Chefs, der es sich nicht nehmen ließ, wirklich jede Kleinigkeit durchzugehen: die Farbe des Tischschmuckes, die mit der Krawatte harmonieren sollte, die bei der Presseerklärung zu verwendende Schrift und den exakten Ablauf des Rundganges im Werk. Gerade waren Ferber und Trend dabei, das Modell des Füllfederhalters festzulegen, welches jeder Journalist als

Geschenk erhalten sollte, als Trends Handy klingelte. Nervös drückte er die grüne Taste: „Was gibt es denn, Frau Beifuß? Was, die Anzeigenabteilung hat angerufen? Sie brauchen noch heute die Anzeige? Passen Sie mal auf, Frau Beifuß. Ich kann im Moment nicht weg. Aber die Anzeige liegt auf meinem Schreibtisch. Setzen Sie bitte noch den Slogan ein und dann ab die Post zum Verlag. Alles verstanden? Nein … ja … ja … nein … richtig. Auf meinem Schreibtisch. Ja. Den Slogan. Ja. Alles klar. Also dann." Thomas Trend steckte sein Handy weg und widmete sich wieder ganz dem Gespräch mit Tim Ferber.

Am Tag der Pressekonferenz war Thomas Trend so aufgeregt, als müsste er noch einmal sein Abitur machen. Schon dreimal hatte er nach den Blumengestecken für die Tische gefragt und endlich wurden sie geliefert. Das Orange der Blüten war ihm ein wenig zu leuchtend, aber Frau Beifuß beruhigte ihn, dass dies zur Zeit groß in Mode sei. Endlich erschien auch Tim Ferber – im schwarzen Nadelstreifenanzug mit tintenblauer Krawatte. Thomas Trend war verärgert, wagte jedoch nicht, seinen Chef darauf hinzuweisen, dass eigentlich eine Krawatte in Orange vorgesehen war.

Erst als sich der Konferenzraum nach und nach füllte, wurde Thomas Trend ruhiger. Jetzt hatte er das Gefühl, dass die Aktion ein voller Erfolg werden würde, zumal sein Chef die vorbereitete Rede ohne Versprecher vortrug: „Sehr geehrte Damen und Herren, ich begrüße Sie herzlich im Hause Müller GmbH & Co KG. Einerseits werden Sie mich noch nicht kennen, andererseits wird dies nicht mehr lange der Fall sein. Nun, ich bin Tim Ferber, der neue Manager dieser kleinen, aber feinen Firma."

Es folgte eine lange ausführliche Schilderung seines Werdeganges und ein etwa einstündiger Rückblick auf die Historie der Firma. Die letzten zwei Minuten des Vortrages gaben Einblick in die gegenwärtige Situation und die Zukunftspläne. „Sehr geehrte Damen und Herren, wenn keine weiteren Fragen mehr sind, lade ich Sie zu einem kleinen Rundgang ein."

Zum Schrecken von Thomas Trend führte Tim Ferber die Gäste jedoch nicht den geplanten Weg, sondern eine Route, die am Ende durch die Versandabteilung führte. Dort ließ sich Tim Ferber stolz mit der ganzen Produktpalette fotografieren. Nachdem alle Journalisten ihr Geschenk erhalten hatten und abgezogen waren, klopfte Tim Ferber seinem Mitarbeiter Thomas Trend anerkennend auf die Schulter: „Einerseits haben Sie einen sehr guten Job gemacht, andererseits war ich auch nicht schlecht, oder?"

Thomas Trend pflichtete ihm bei und meinte, dass er sehr gespannt wäre auf all die positiven Berichte, die am nächsten Tag in der Presse sein würden.

Am nächsten Morgen, Tim Ferber war gerade aufgestanden, klingelte das Telefon. „Halsabschneider!" rief der Anrufer mit erregter Stimme in den Hörer und legte gleich auf. Tim Ferber, missmutig und nachdenklich, wollte gerade ins Badezimmer gehen, als erneut das Klingelzeichen ertönte. Diesmal erörterte ihm ein Kunde, dass er den letzter Woche erteilten Auftrag zurücknehmen würde und keinerlei Kontakt mehr wünsche. Irgendetwas war faul.

Tim Ferber rannte zum Briefkasten, holte die Tageszeitung heraus, blätterte mit zittrigen Fingern die Seiten um und fand endlich den Wirtschaftsteil. Mit riesigen Buchstaben war dort eine Schlagzeile abgesetzt: „Knüller bei Müller – wie der Füllerfabrikant seine Kunden schätzt". Unter dem Titel war das Bild abgedruckt, auf dem er in der Versandabteilung das Sortiment vorstellte. Das Foto hätte Ferber auch

gefallen, wäre da nicht im Hintergrund deutlich und auffäl-
lig der interne Slogan gewesen: *An die Arbeit frisch, zieht die
Kunden übern Tisch.*

Tim Ferber sackte in sich zusammen. Ungewaschen,
unrasiert und ohne Frühstück machte er sich auf den Weg
ins Büro. Dort angekommen, empfing ihn völlig aufgeregt
seine Sekräterin. Es sei die Hölle los, das Faxgerät spucke
eine Seite nach der anderen aus, das Telefon klingele ohne
Unterbrechung und vor dem Tor hätte sie sich erst durch
einen Haufen Demonstranten kämpfen müssen, klagte sie
ihm ihr Leid.

Ferber nahm es zu Kenntnis und zitierte Thomas Trend in
sein Büro. Gemeinsam überlegten beide stundenlang, wie
sie aus der bedrohlichen Situation herauskommen könnten.
„Wir könnten es als Sabotage hinstellen", schlug Trend vor.

Ferber antwortete: „Einerseits wären wir dann aus dem
Schneider, andererseits klingt das nicht sehr glaubhaft. Wie
wäre es, wenn wir behaupten, dass es sich bei *Kunden übern
Tisch ziehen* um eine fachliche Redewendung handelt, die in
Wirklichkeit bedeutet, ein Schreibgerät zu testen?"

Trend winkte ab: „Die Konkurrenz würde sofort eine
Richtigstellung in die Presse bringen."

„Ich hab's!", rief Ferber plötzlich, „wir machen eine
Pressemitteilung, aus der hervorgeht, dass unser Werbeleiter gefeuert wurde, dass uns die Angelegenheit sehr leid
tut und dass es solch eine Aussage von der Müller GmbH &
Co KG niemals wieder geben wird. Einerseits klingt das
glaubwürdig, andererseits ist Reue immer ein gutes Mittel,
um erhitzte Gemüter zu besänftigen. Zudem bin ich fest
davon überzeugt, dass Sie problemlos einen neuen Job finden werden."

So kam es, dass Thomas Trend eine Pressemitteilung über seine eigene Kündigung verfassen musste. Bevor er seinen Schreibtisch leerte, faltete er fein säuberlich die Kopien, schob sie in die Kuverts und brachte sie zur Poststelle. Am übernächsten Tag konnte Tim Ferber kaum erwarten, die Tageszeitung aufzuschlagen. Er wollte gerade im Pyjama zum Briefkasten laufen, als mit einem lauten Klirren die Scheibe seines Wohnzimmerfensters zerbrach. Mit den Scherben fiel ein faustgroßer Stein auf den Perserteppich und kullerte Tim Ferber direkt vor die Füße. Er ahnte Schlimmes, rannte hinaus, zerrte die Zeitung aus dem engen Schlitz des Briefkastens und suchte nach dem Artikel. Im Lokalteil wurde er fündig. „Müller entschuldigt sich", lautete die Überschrift und der folgende Text entsprach in weiten Teilen der eigenen Pressemitteilung.

Ferber war einen Moment ratlos, dann fiel sein Blick auf die nebenstehende Produktanzeige. Gestochen scharf, mit einem Funkeln auf der goldenen Feder war dort ein Füller aus seinem Spitzenprogramm abgebildet. Darunter stand ein kurzer, knapper Werbetext und am Ende der Seite stand in großen Buchstaben: *An die Arbeit frisch, zieht die Kunden übern Tisch.*

Mit einem dicken Kloß im Hals machte sich Tim Ferber auf den Weg zur Firma. Gerne hätte er sich krank gemeldet, doch in dieser Situation zu kneifen, widerstrebte seiner Kämpfernatur. Bereits vor dem Tor empfing ihn das Kamerateam eines privaten Fernsehsenders. „Herr Ferber", bedrängte ihn eine Reporterin, „stimmt es, dass Sie mit Ihrer Werbung provozieren wollen? Setzen Sie auf entwaffnende Ehrlichkeit statt auf eine verlogene, heile Werbewelt?"

Tim Ferber sah mehr als nur einen Silberstreifen am Horizont: „Ich freue mich, dass unsere Botschaft angekommen ist. Wir haben es uns in der Tat zum Ziel gesetzt, die Verlogenheit aus der Werbung zu verbannen. Die Wirtschaft ist keine heile Welt und Firmen sind keine Wohlfahrtsorganisationen. Fressen und gefressen werden. Das ist das Motto, nach dem die Wirtschaft funktioniert. Wir sind so ehrlich und bekennen uns dazu. Ich möchte Ihnen jedoch im Vertrauen mitteilen, dass dieser Weg steinig ist – und zwar im wahrsten Sinne des Wortes. Heute Morgen wurde ich fast das Opfer eines heimtückischen Anschlags. Trotzdem werden wir von unserem eingeschlagenen Pfad nicht abweichen."

Von da an war Tim Ferber Star in vielen Talkshows. Er wurde nicht müde, seine These von der neuen Ehrlichkeit in der Werbung zu verkünden. Auch Thomas Trend war fortan ein gern gesehener Gast im Fernsehen, im Radio und bei Kongressen der Kommunikationsbranche. Natürlich war er wieder als Werbeleiter zur Müller GmbH & Co KG zurückgekehrt und feilte dort weiter am neuen Image der aufstrebenden Firma, deren interner und externer Slogan endgültig festgelegt worden war:

„Mit Müller-Füller in der Hand
spielst Du die Gegner an die Wand."

Doch Thomas Trend schwebte bereits die nächste Kampagne vor. In einem Fernsehspot sollte ein Greis einen Füller vor sich halten und dazu mit letzter Kraft hauchen:

„Müller-Füller vor dem Sterben
lässt frohlocken alle Erben."

Wie man Arbeitsmittel spart

Der Einstieg des Rundschreibens war kurz und knapp formuliert. Der Papierverbrauch sei in den vergangenen zwei Jahren um den Faktor Drei gestiegen. Jeder Mitarbeiter solle deshalb einen Beitrag leisten und sich freiwillig einschränken. Tipps gäbe es in der Anlage. Es folgten 53 gutgemeinte Ratschläge, die auf 13 Seiten zu lesen waren. Um dem Anliegen Nachdruck zu verleihen, wurde das Schreiben allen 563 Mitarbeitern persönlich durch die Vorgesetzten überreicht.

Als die Geschäftsleitung ein Vierteljahr später die Einkaufslisten durchging, stellte sie fest, dass die Kosten bei der Position Papier mit 3% zwar leicht rückläufig waren, doch verwies der Einkaufsleiter auf seinen persönlichen Erfolg, der zu einem Zusatzrabatt in Höhe von 15% bei den Papierlieferanten geführt hatte. Da das Rundschreiben damit offensichtlich seine Wirkung verfehlt hatte, beschlossen die Führungskräfte einen Ausschuss zu gründen. Bereits zwei Wochen später tagte das aus 15 Personen zusammengesetzte Kommittee zum ersten Mal.

Der Vorsitzende begann ein wenig umständlich: „Liebe Kolleginnen, liebe Kollegen, die Geschäftsleitung hat uns beauftragt, dafür zu sorgen, dass wir uns Gedanken machen sollten, was man unter Umständen an Maßnahmen in Erwägung ziehen könnte, um eventuell den Verbrauch an Papier – und hier geht es vor allem um Drucker- und Kopiererpapier – zu reduzieren, falls nicht irgendwelche sachlichen Zwänge gegen ein Zurücknehmen bei eben demselben

Papierverbrauch sprechen könnten und auch der Betriebsrat seine Zustimmung nicht versagt."

„Entschuldigung, Herr Kollege, sollten wir nicht im ersten Schritt einen Namen für unseren Ausschuss definieren? Wie wäre es mit dem Namen PAPIER? P für Produktivität. A für Ausschuss. P für Papier. I für im. E für Eigenverbrauch. R für reduzieren. PAPIER steht also für Produktivitäts-Ausschuss um Papier im Eigenverbrauch zu reduzieren." Es folgte eine heftige Diskussion, die schließlich mit der allgemeinen Zustimmung für den Namen und mit dem Entschluss endete, sich in der nächsten Woche wieder zu treffen.

„Liebe Kolleginnen, liebe Kollegen, herzlich willkommen bei PAPIER. Ich habe die Woche, so wie wir es gemeinsam vereinbart hatten, genutzt, um die Durchführung einer Analyse vorzubereiten, aus der hervorgehen sollte, wo die wesentlichen Ursachen unseres Problems liegen könnten. Diese Ergebnisse sollten die Grundlage für unser heutiges Treffen bilden können, quasi die fundamentale Basis für mögliche Ansätze im Sinne eines festen Untergrundes …"

„Entschuldigung, Herr Kollege, haben Sie nun die Analyse?"

„Ja, wie ich bereits ausgeführt haben wollte, ist diese sicher zu Recht als Basis deklarierte Analyse, von deren Notwendigkeit ich schon immer überzeugt war, wenn Sie mir diesen Einwand gestatten, wobei ich mir gewiss bin, dass ich mit Ihrer Unterstützung rechnen kann, selbstverständlich die Grundlage …"

„Ja oder nein?"

„Also wenn Sie mich so gefragt haben wollten: Nein."

Dem nun ausbrechenden Tumult folgte nach einer zehnminütigen Kaffeepause eine ernsthafte Auseinandersetzung mit dem Problem des hohen Papierverbrauchs. Die Organisationsabteilung hatte ermittelt, dass pro Woche und Kopierer rund 750 Blatt verschwendet worden waren. Bei den Faxgeräten lag die Zahl bei 300 Blatt pro Woche. Also beschloss der Ausschuss, die Zahl der Kopierer und Faxgeräte zu halbieren.

An den darauffolgenden Arbeitstagen lag die durchschnittliche Wartezeit an den Kopierern bei 28 Minuten, während die Organisationsabteilung an den Faxgeräten eine Wartezeit von 47 Minuten registrierte. Ausschlaggebend für die erneute Einberufung des Ausschusses war allerdings die Tatsache, dass sich die Liefermenge für Papier trotz der effektiven Gegenmaßnahmen auf dem bereits vor der Gerätehalbierung erreichten hohen Niveau eingependelt hatte.

„Liebe Kolleginnen, liebe Kollegen, herzlich willkommen bei PAPIER. Unser Vorschlag, den zu realisieren wir uns erlaubt hatten, hat den Verbrauch, bei dem es unser Ziel war, ihn senken zu wollen, nicht in dem Maße gesenkt, wie wir es uns eigentlich gewünscht hätten."

„Entschuldigung, Herr Kollege, ich bitte um das Wort. Ich habe vor dem Wochenende die Papierkörbe geleert und die weggeworfenen Blätter während der freien Tage analysiert. Diese detaillierte Untersuchung hat mich auf die Lösung unseres Problems gebracht. Die Texte waren bei 48% der Blätter in 10-Punkt-Schrift, bei 32% in 11-Punkt-Schrift und bei 12% sogar in 12-Punkt-Schrift ausgedruckt. Bevor jetzt der Einwand kommt, wo die fehlenden Prozente sind: 8% waren handschriftlich verfasst; ich würde schätzen, die Mehrheit davon in einer 20-Punkt-Handschrift. Ich werde der Geschäftsführung aus diesem Grund empfehlen, eine Arbeitsanweisung zu verfassen, in der die Mitarbeiter angewiesen werden, nur noch Ausdrucke in 8-Punkt-Schrift zu machen."

Der Beschluss war reine Formsache. Und die Geschäftsführung unterstützte das Anliegen des Ausschusses nach vollen Kräften.

In den Wochen nach dem Verteilen der Arbeitsanweisung gab es regelmäßig ein überfülltes Wartezimmer beim Betriebsarzt. Kopfschmerzen, Augenbrennen und ein plötzliches Nachlassen der Sehkraft waren die vorwiegenden Leiden. Der Betriebsarzt stand vor einem Rätsel, denn das Rundschreiben, welches den Gebrauch kleiner Schriften vorschrieb, hatte er nicht lesen können. Er war nicht mehr der Jüngste und mit seiner Sehstärke war es ebenfalls nicht zum Besten bestellt.

Ratlosigkeit herrschte auch in der Organisationsabteilung, weil der Papierverbrauch um ein Drittel angewachsen war und die Wartezeit an den Kopierern auf 83 Minuten gestiegen war. Eine Blitzanalyse ergab, dass viele Mitarbeiter – manchmal sogar heimlich in den Morgen- und Abendstunden – die Vergrößerungsfunktion des Kopierers nutzten, um eigene oder von anderen ausgedruckte Schriftstücke lesen zu können. Als man dies endlich erkannte, war auch automatisch das Rätsel gelöst, warum vor allem der Verbrauch an großformatigem Papier in die Höhe geschossen war. Höchste Zeit für PAPIER, eine neue Entscheidung zu treffen.

„Liebe Kolleginnen, liebe Kollegen, herzlich willkommen bei PAPIER. Wie sich sicherlich herumgesprochen hat, hat unser Rundschreiben, welches wir in bester Absicht und – da bitte ich größten Wert darauf zu legen – mit ausdrücklicher Genehmigung unserer Geschäftsführung, die bei diesem Projekt von Beginn an geschlossen hinter uns gestanden hat, was uns erst die richtige Motivation gegeben haben dürfte, ja, wie ich bereits ausgeführt hatte, hätten wir keinen Erfolg mit unserer Maßnahme verbuchen gekonnt."

„Entschuldigung, Herr Kollege, ich bitte um das Wort. Sie werden sich bestimmt daran erinnern, wie Herr Winzig in der letzten Sitzung seine Idee vorstellte. Er hatte uns geschildert, wie er die Papierkörbe durchstöbert hatte und anschließend das weggeworfene Papier analysiert hatte. Ich habe die ganze Zeit überlegt, was daran faul gewesen sein könnte. Jetzt hab ich's. Als gestern am späten Abend die Reinemachefrau mit dem großen Wagen an mir vorbeiging, war mir klar: Es dürfen keine Blätter im Papierkorb landen! Jedes entsorgte Papier muss zurückverfolgt werden und der Entsorger muss wegen der Verschwendung abgemahnt werden. Selbst wenn dies nicht bei jedem Blatt zweifelsfrei möglich ist, sollten wir doch eine möglichst hohe Rückverfolgungsquote anstreben."

Der begeisterten Zustimmung durch den Ausschuss PAPIER folgte ein Andrang der Mitarbeiter beim Betriebsrat. Ein Mitarbeiter gab dem anderen die Klinke in die Hand; jeder beschwerte sich über das Ausspionieren durch die Firmenleitung. Geradezu fatal war, dass einige in der Gewerkschaft organisierte Mitarbeiter sogar diverse Flugblätter verfassten und diese über die Kopierer vervielfältigten, um sie anschließend an jeden Betriebsangehörigen zu verteilen. Was blieb anderes übrig, als wieder den Ausschuss tagen zu lassen?

„Liebe Kolleginnen, liebe Kollegen, herzlich willkommen bei PAPIER. Wenn wir nach einer halbjährigen konstruktiven Zusammenarbeit zurückblicken, muss man sagen, dass die Bilanz unseres Wirkens, die, das möchte ich nochmals ausdrücklich betonen, dass die Bilanz, lassen Sie mich es so formulieren, nicht sonderlich positiv zu sehen ist, warum auch immer."

„Entschuldigung, Herr Kollege, sollten wir nicht besser nach vorne sehen, als uns mit der Vergangenheit zu beschäftigen? Die Lösung unseres Problems liegt in der Zukunft. Oder anders ausgedrückt: Die Lösung liegt in den Zukunftstechnologien. Das meiste Papier, welches bei uns verbraucht wird, landet in den Ordnern. Es wird also archiviert. Wenn wir unseren Mitarbeitern klar machen, dass heute andere Speichermedien angesagt sind, sollten wir die Papierflut mühelos eindämmen können. Heute weiß doch jedes Kind, dass ganze Bücher auf eine einzige CD passen. Wir müssen unsere Mitarbeiter motivieren, die CD als Speichermedium zu nutzen, getreu dem Motto: Akten schleppen nur die Deppen."

Nach dieser Sitzung ging der Ausschuss PAPIER mit dem sicheren Gefühl auseinander, eine gute Entscheidung getroffen zu haben. Tatsächlich gelang es der Geschäftsführung in den folgenden Wochen, die Mitarbeiter durch hartnäckige Überzeugungsarbeit zum Einsatz der CD als Archivierungsmittel zu überreden. Voller Stolz konnte die Organisationsabteilung bei der Quartalssitzung der Geschäftsführung verkünden, dass sich der eingeschlagene Pfad als goldener Erfolgsweg herausgestellt hatte. Der Verbrauch an Papier war entscheidend zurückgegangen und deshalb wurde der Ausschuss PAPIER aufgelöst.

Schon wenige Tage später sprach der Einkaufsleiter bei der Geschäftsleitung vor.

Er forderte eine Erhöhung des Etats für Büromaterial, denn die Zahl der schillernden Speicherscheiben hätte eine astronomische Höhe erreicht und die Kosten könne er nicht mehr über entsprechende Mengenrabatte abfangen. Ein sofort von der Geschäftsleitung verfasstes Rundschreiben an die Mitarbeiter verfehlte seine Wirkung. Allen Verantwortliche war klar, dass somit die nächste Stufe der Eskalation erreicht war. Ein neuer Ausschuss musste gegründet werden. Die einzelnen Mitglieder waren in Windeseile benannt, und nicht mehr als eine Woche später fanden sie sich zur ersten Sitzung ein.

Der Vorsitzende begann ein wenig umständlich: „Liebe Kolleginnen, liebe Kollegen, die Geschäftsleitung hat uns beauftragt, dafür zu sorgen, dass wir uns Gedanken machen sollten, was man unter Umständen an Maßnahmen in Erwägung ziehen könnte, um eventuell den Verbrauch an CDs – und hier geht es vor allem um CD-ROMs – zu reduzieren, falls nicht irgendwelche sachlichen Zwänge gegen ein Zurücknehmen bei eben demselben CD-ROM-Verbrauch sprechen könnten und auch der Betriebsrat seine Zustimmung nicht versagt."

„Entschuldigung, Herr Kollege, sollten wir nicht im ersten Schritt einen Namen für unseren neuen Ausschuss definieren? Wie wäre es mit dem Namen Cd? C für CD-ROMs, d für ..."

Der Stift

„Lehrjahre sind keine Herrenjahre!", fuhr Frank Frisch den Auszubildenen Jens Schalch an, als der sich weigerte, Kopien für ihn zu machen. Jens Schalch hatte darauf hingewiesen, dass der Umgang mit dem Kopierer auf seinem Lehrplan längst abgehakt war und er es deshalb nicht einsehen würde, stundenlang an dem Gerät zu stehen. „Du machst jetzt die Kopien oder ich rufe deinen Ausbilder an", fuhr Frank Frisch mit hochrotem Kopf fort. Jens Schalch lag auf der Zunge, er würde sich das Du verbitten und erst recht wäre er nicht bereit, die Kopien zu machen. Doch er kannte seinen Ausbilder gut genug, um zu wissen, wie die Angelegenheit ausgehen würde: Zunächst würde der Ausbilder widersprechen, würde darauf hinweisen, dass der Lernerfolg beim Kopieren recht klein wäre, und nach weiteren fünf Minuten würde er klein beigeben und bei Jens Schalch anrufen, um ihm zu sagen, dass es fürs Betriebsklima besser wäre, die Kopien zu machen.

Andererseits hatte er wirklich keine Lust, den Stapel Papier zu kopieren. Von einer Vorlage fünfhundert Kopien zu ziehen, wäre noch in Ordnung. Aber von fünfhundert Vorlagen je eine Kopie zu erstellen, das ging ihm doch entschieden gegen den Strich. Wohl oder übel nahm er also den Stapel Kopiervorlagen an sich und überlegte, wie er es schaffen könnte, den Gang zum Kopierer zu vermeiden.

In der Firmenhierarchie war Jens Schalch als Auszubildender ganz unten – sogar noch unter dem Pförtner, – aber dumm war er nicht. Deshalb dauerte es gar nicht lange, bis er einen Plan ausgeheckt hatte. Zunächst druckte Jens Schalch ein neues Deckblatt aus. „Analyse der innerbetrieblichen, hierarchiegetriebenen, selbstlaufenden Prozesse – strengstens vertraulich", stand darauf zu lesen. Mit dem Stapel Papier, obenauf das neue Deckblatt, machte er sich auf den Weg zum Kopierer neben dem Büro der Geschäftsführung. Deutlich sichtbar legte er den Stapel auf den Kopierer und wartete einen Moment.

Es dauerte nur eine Minute, bis die Sekretärin des Vorstands, Angelika Kurzfeig, den Kopiererraum betrat. Mit hochnäsiger Stimme fragte sie Jens Schalch, ob sie wohl vor ihm kopieren dürfe. Jens Schalch, eigentlich in solchen Dingen eher unnachgiebig, nickte sofort. Doch kaum hatte sie ihr Blatt in den Einzug des Kopierers gelegt, als ihr Blick auf den dicken Papierstapel fiel. „Sag' mal, gehört dir das?", fragte sie und deutete auf den Stapel. „Nö", antwortete Jens Schalch, „gehören tut mir das nicht, aber kopieren soll ich es. Meinen Sie, dass etwas dagegen spricht?" Angelika Kurzfeig reagierte ganz in seinem Sinne: „Na ja, ich meine, eigentlich dürftest du das doch gar nicht in den Händen haben. Unsere Richtlinie 308H59 sagt ganz eindeutig aus, dass streng vertrauliche Unterlagen nicht an Auszubildende weitergereicht werden dürfen. Wer hat dir eigentlich den Auftrag gegeben, hiervon Kopien zu machen?"

Jens Schalch war genau an dem Punkt, an den er hin wollte. Erst druckste er ein wenig, dann gab er zu, dass der Auftrag von Frank Frisch kam.

„Klar, der Frisch. Typisch für ihn. Zu faul, etwas selbst zu tun. Überlassen Sie bitte mir den Stapel. Ich kümmere mich darum", tat sich Angelika Kurzfeig wichtig. Äußerlich gleichgültig, aber innerlich juchzend, machte sich Jens Schalch aus dem Staub. Sein Plan schien aufzugehen.

„Stellen Sie sich vor!", entrüstete sich Angelika Kurzfeig wenige Sekunden später bei ihrem Chef, „da lässt doch der Frank Frisch den Stift die Kopien von dem Vorgang mit den Prozessen machen. Dabei steht dick und fett auf dem ersten Blatt, dass es sich um strengstens vertrauliche Unterlagen handelt. Soll ich den Frisch anrufen oder wollen Sie das tun? Ich stelle ihn gerne zu Ihnen durch!" Der Chef entschied sich für die zweite Variante und schon zwei Minuten später hatte er Frank Frisch in der Leitung. In wenigen Sätzen brachte er das Thema auf den Punkt: „Sagen Sie mal, Herr Frisch, was glauben Sie eigentlich, warum wir unsere Richtlinien haben? Nur durch einen Zufall habe ich gehört, dass Sie einen Lehrling beauftragt haben, fünfhundert Blätter für Sie zu kopieren. Sie wissen, dass dies gegen unsere firmeninternen Richtlinien verstößt. Es geht hier zum einen ums Prinzip und zum anderen geht es darum, dass Sie nicht einfach alles delegieren können. Kopieren müssen Sie selbst. Es ist eindeutig untersagt, dass dies in Ihrem Fall ein Lehrling machen darf!" Der Geschäftsführer konnte deutlich hören, wie Frank Frisch am anderen Ende der Leitung schluckte. Frisch blieb nichts anderes übrig, als sich ein „jawohl, Entschuldigung" abzuringen und aufzulegen.

Die Sekretärin rief Jens Schalch an, um ihn zu bitten, den Stapel abzuholen und bei Frank Frisch abzuliefern. Jens Schalch war sofort zur Stelle, nahm die Papiere in Empfang, klemmte sie unter seinen Arm und machte sich auf den Weg zu Frank Frisch.

Auf dem Weg dorthin knüllte er das Deckblatt zusammen und warf es in den Papierkorb. Dann lächelte er Frank Frisch verschmitzt entgegen: „Herr Frisch, ich hätte Ihnen gerne die Kopien gemacht, aber als ich am Kopierer stand, kam gerade zufällig unser Oberchef vorbei und hat mich zurechtgewiesen, weil ich seiner Ansicht nach meine Kompetenzen überschritten hätte. So ein Pech aber auch."

„Lehrjahre sind zwar keine Herrenjahre", dachte Jens Schalch im Hinausgehen, „aber so mancher Vorstandsvorsitzender hat früher mal als kleiner Lehrling angefangen."

Der letzte Saurier

Rudi Stängel gehört einer Gattung an, die früher in den Büros weit verbreitet war, da sie einer ganzjährigen Schonzeit unterlag. Durch ihren ganz spezifischen Geruch, den sie fortwährend verströmten, waren Exemplare dieser Gattung leicht auszumachen. Lange Zeit galten sie als harmlos und wurden deshalb geduldet, wenngleich es früher bereits Gegner gab, die sich durch ihre Dunstwolken belästigt fühlten.

Rudi Stängel ist Raucher.

Als er vor vielen Jahren den Schritt ins Berufsleben machte, konnte er, die glimmende Kippe in der Hand, unbehelligt durch die Gänge laufen, konnte alle Zimmer betreten, ohne ein Murren hören zu müssen, und wenn kein Aschenbecher in der Nähe war, was nur selten vorkam, konnte er die Asche einfach zu Boden fallen lassen. Niemand protestierte, ein solches Verhalten war einfach ganz normal.

Rudi Stängel lebte in paradiesischen Zuständen und vor allem war er nicht allein. Trat der seltene Fall ein, dass er in seine Hosentasche griff und eine leere Zigarettenpackung herauszog, konnte er sicher sein, dass ihm jemand in dieser misslichen Situation helfen würde. Er kannte genau die Anlaufstellen, wusste, wer sich wann und wo einen Glimmstängel anstecken würde und in der Gattung gehörte es nun einmal zur guten Sitte, einen Artgenossen bei dieser Gelegenheit zu fragen, ob er denn auch eine möchte.

Kurzum – Rudi Stängel war ein glücklicher Raucher.

Doch irgendwann, der genaue Zeitpunkt lässt sich heute nicht mehr nachvollziehen, begannen die damals noch wenigen Gegner der Raucher, sich zu formieren und ihren Feinden den Kampf anzusagen. Zunächst waren es nur schnippische Bemerkungen, denen sich Rudi Stängel ausgesetzt fühlte, wenn er sich eine Zigarette anzünden wollte. Bald darauf waren es heftige Beschwerden, die schließlich in der Aufforderung gipfelten, das Rauchen in dem Büro gefälligst zu unterlassen.

Die Schonzeit war beendet, die Treibjagd begann. Einen Raum nach dem anderen erklärten die Nichtraucher zur raucherfreien Zone.

Zum Glück richteten mitleidige Seelen zumindest Reservate ein, in die sich die Raucher von Zeit zu Zeit zurückziehen konnten. Eines dieser Reservate hatte Rudi Stängel an diesem Tag zum neunten Male aufgesucht.

„Na, Frau Kollegin, auch eine rauchen?", fragte Rudi Stängel seine Kollegin Karin Zinom, die das Raucherzimmer betrat.

„Klar, was sonst soll man im Raucherzimmer machen. Ich bin froh, dass wir überhaupt noch einen Ort haben, an den wir uns zurückziehen können."

„Wie wahr, wie wahr. Früher war das alles anders." Rudi Stängel machte einen tiefen Seufzer und zog ausgiebig an seiner Zigarette. „Frau Zinom, ich sage Ihnen, wir gehören zu einer aussterbenden Gattung." Wieder nahm er einen tiefen Lungenzug. „Ach, haben Sie es eigentlich schon gehört? Kollege Krebs hat seit drei Wochen keine Kippe mehr angerührt. Er ist ein militanter Nichtraucher geworden."

Karin Zinom war überrascht: „Der Krebs? Der war doch wirklich ein absoluter Kettenraucher. Ich kann mich nicht erinnern, ihn jemals länger als fünf Minuten ohne seine

Marlboro gesehen zu haben. Und der fällt uns jetzt in den Rücken? Mein Gott, dann sind wir nur noch sechs."

Rudi Stängel drückte seinen qualmenden Stummel im Aschenbecher aus. „Frau Zinom, wenn es so weitergeht, sind wir beide bald ganz allein. Schrecklich! Wer weiß, ob wir dann noch ein Raucherzimmer haben werden. Wir müssen uns unbedingt etwas einfallen lassen." Während Karin Zinom ihm nachdenklich beipflichtete, verließen beide den Raum, dichten Nebel im Raucherzimmer hinter sich lassend.

Kaum war Rudi Stängel wieder an seinem Schreibtisch, rümpfte seine Gegenüber, Gerlinde Gebacht, die Nase: „Soso, der Herr Stängel war mal wieder rauchen. Und wir bekommen den Mief ab." Rudi Stängel überhörte die Bemerkung. An solche Kommentare war er gewöhnt. Aber diesmal stichelte Gerlinde Gebacht weiter: „Da duftet sogar meine Mülltonne besser."

Das war Rudi Stängel zuviel, er gab Kontra: „Ach, liebe Kollegin, haben Sie etwa Ihr Rasierwasser gewechselt? Es riecht so komisch!"

Gerlinde Gebacht schnappte nach Luft: „Sich stundenlang vor der Arbeit drücken und dann auch noch frech werden. Das haben wir gerne." Ohne aufzublicken, mit gesenktem Kopf, ließ Rudi Stängel die Predigt über sich ergehen.

Ein knappes halbes Jahr später waren Karin Zinom und Rudi Stängel wieder einmal gemeisam im Raucherzimmer. „Was gibt's Neues, Frau Zinom?" erkundigte sich Rudi Stängel. Karin Zinom blies drei Rauchkringel in die Luft, blickte dem vergänglichen Kunstwerk einen Moment versonnen nach und antwortete bedrückt: „Nichts Gutes. Der Müller hatte letzte Woche einen Herzinfarkt. Der raucht nicht mehr mit uns. Und in der Woche davor ist doch die alte Tehr in den Ruhestand verabschiedet worden. Wir sind also nur noch zu viert."

Rudi Stängel dachte nach: „Wir brauchen Nachwuchs, und zwar dringend. Und ich glaube, ich habe eine Idee. Mein Chef sucht einen neuen Logistikspezialisten. Vielleicht kann ich den Bewerbern auf den Zahn fühlen, ob sie Raucher sind."

In der darauffolgenden Woche kam der erste Bewerber. Da er zehn Minuten vor dem Termin eintraf, wartete er auf dem Sofa in der Empfangshalle. Scheinbar zufällig gesellte sich Rudi Stängel dazu: „Sie sind bestimmt wegen der freien Stelle hier, oder?" Der Bewerber, sichtlich nervös, bestätigte das. Scheinheilig bot ihm Rudi Stängel eine Zigarette an, aber der Bewerber lehnte mit dem Hinweis ab, dass er Nichtraucher sei. Rudi Stängel zeigte Verständnis: „Da haben Sie natürlich völlig Recht. Es ist schon ein Laster mit dem Rauchen. Man sieht das zum Beispiel bei Herrn Kreuz, Ihrem eventuell künftigen Chef. Der ist absoluter Kettenraucher. Eine nach der anderen. Ich glaube, mehr als fünf Minuten hält er es nicht ohne Zigarette aus. Bei einer zweistündigen Besprechung bekommen Sie als Nichtraucher soviel Qualm ab, als würden Sie selbst eine komplette Schachtel rauchen. Daran gewöhnt man sich aber. Schlimmer ist, dass man abends nach Hause kommt und in allen Klamotten hat sich der Mief festgesetzt. Das nervt sogar mich als Raucher. Hier, riechen Sie mal."

Er hielt dem Bewerber seinen Arm unter die Nase. Der zuckte erschrocken zurück und Rudi Stängel erzählte locker weiter: „Die ganze Firma ist im Prinzip eine einzige Räucherkammer. Als ich vor acht Jahren hier anfing, konnte ich locker mal eine Stunde Joggen. Heute keuche ich nach zehn

Minuten. Ach, was erzähle ich Ihnen. Sie sollen sich doch auf Ihren neuen Arbeitsplatz freuen. Keine Angst, man gewöhnt sich auch als Nichtraucher an Nikotin und Teer."

Später erfuhr Rudi Stängel, dass der Bewerber zwar das Büro des Chefs betreten hatte, sich jedoch mit dem Hinweis, bereits eine andere Position gefunden zu haben, sofort wieder verabschiedet hatte.

Einem zweiten Bewerber fühlte Rudi Stängel ebenfalls auf den Zahn. Da der Aspirant ein Raucher war, machte ihm Rudi Stängel die zu besetzende Stelle schmackhaft. Leider nicht mit Erfolg, denn der Bewerber stellte sich im Gespräch mit dem Chef als ungeeignet heraus.

Den dritten Bewerber konnte sich Rudi Stängel nicht vorab zur Brust nehmen, weil er einen Außentermin wahrnehmen musste. Als er zurückkam, schaute er wie gewohnt zuerst ins Raucherzimmer. „Hallo Frau Zinom, haben Sie etwas von der freien Stelle gehört?"

Bereits an ihrem Gesicht konnte Rudi Stängel ablesen, dass Karin Zinom keine gute Nachricht hatte: „Herr Stängel, wir müssen tapfer sein. Die Stelle ist heute besetzt worden. Eigentlich ist das ein ganz netter Kerl. Lotter heißt er, war irgendwie im Verkauf von Haushaltsbedarf oder so und ist direkt vor Weihnachten entlassen worden. Ich gönne ihm die Stelle."

Karin Zinom drückte ihre Kippe im Aschenbecher aus und zündete sich eine neue Zigarette an. Rudi Stängel hakte ungeduldig nach: „Ist ja alles schön und gut, aber ist dieser Lotter Raucher oder Nichtraucher?"

Sie blickte ihm in die Augen: „Nichtraucher. Absoluter Nichtraucher. Aber ich habe noch eine schlechte Nachricht. Herr Stängel, es grenzt an Horror: Frau West und Herr Kuba haben gekündigt. Sie möchten gemeinsam für ein Jahr nach Trinidad und Tobacco. Wir sind ab dem übernächsten Monat die allerletzten Raucher in unserer Firma."

Rudi Stängel setzte sich auf den Tisch. Es herrschte drückende Stille, die schließlich durch das seufzende Ausatmen des Rauches beendet wurde. „Frau Zinom, wir müssen zusammenhalten", appellierte Rudi Stängel an seine Kollegin, die beruhigend auf ihn einredete: „Lieber Herr Stängel, Sie wissen doch, dass ich alleinstehend bin. Ich lebe für die Firma und ich schätze Sie als den Kollegen, dem ich mich in jeder Situation anvertrauen kann. Ich lasse Sie nicht allein. Da brauchen Sie keine Angst zu haben. Wichtig ist, dass wir uns unauffällig verhalten, damit niemand merkt, dass wir in dieser Firma die letzten beiden Exemplare unserer Gattung sind." Rudi Stängel nickte und kehrte an seinen Schreibtisch zurück.

„Mir reicht es langsam mit Ihnen. Statt zwanzig Mal am Tag den Platz zu verlassen, um rauchen zu gehen, sollten Sie lieber Ihre offenen Vorgänge abschließen", zeterte Gerlinde Gebacht. Rudi Stängel wollte gerade Kontra geben, als ihm die Worte seiner Artgenossin in den Sinn kamen.

Unauffälliges Verhalten war angesagt. Rudi Stängel schluckte die Antwort hinunter und gab stattdessen klein bei: „Liebe Frau Gebacht, keine Sorge. Natürlich möchte ich nicht, dass die Vorgänge liegen bleiben. Ich gehe erst nach Hause, wenn alles auf meinem Schreibtisch abgearbeitet ist." Gerlinde Gebacht wunderte sich zwar über die Reaktion, doch sie war mit der unterwürfigen Antwort durchaus zufrieden.

Wieder vergingen einige Wochen. Manche Tage waren zäh wie Kaugummi. Rudi Stängel hatte seine Besuche im

Raucherzimmer eingeschränkt. Statt einem guten Dutzend kleiner Pausen waren es inzwischen weniger als zehn.

Trotz der Selbstbeschränkung traf Rudi Stängel immer wieder auf Karin Zinom, wie auch an jenem schicksalsträchtigen Frühlingstag im Mai. Er hatte es schon deutlich mehr als eine Stunde ohne Zigarette ausgehalten. Erst als alle offenen Vorgänge abgearbeitet waren, machte er sich auf den Weg ins Reservat. Beim Eintreten war ihm sofort klar, dass etwas nicht stimmte.

Karin Zinom saß auf dem Tisch, zwischen den Fingern eine Zigarette, die nicht glimmte.

„Hallo Frau Zinom, ist irgend etwas? Sie sehen so bedrückt aus“, erkundigte er sich sorgenvoll.

Karin Zinom steckte die Zigarette in die Packung zurück und antwortete: „Ach, Herr Stängel, eigentlich bin ich total glücklich. Das ist es, was mich so bedrückt.“

Obwohl er glaubte, in der Logik der Frauen bewandert zu sein, konnte Rudi Stängel seiner Kollegin nicht folgen. „Ich verstehe nicht, was Sie meinen, Frau Zinom“, bohrte er nach.

Sie seufzte tief. „Stellen Sie sich vor. Ich habe mich verliebt. Ein süßer Typ. Ein richtiger Traum. Groß, schwarze Haare, breite Schultern. Allein bei dem Gedanken an ihn läuft mir ein warmer Schauer den Rücken hinunter.“

Rudi Stängel war irritiert: „Ja, aber das ist doch fantastisch. Warum sind Sie denn so bedrückt?“

„Jens ist Leistungssportler. Er achtet total auf seinen Körper. Und weil er ihn so sorgfältig pflegt, ist er absoluter Nichtraucher. Nun verlangt er von mir, dass ich mit dem Rauchen aufhöre. Er sagt, er mag keinen Aschenbecher küssen. Herr Stängel, ich will Ihnen wirklich nicht in den Rücken fallen. Aber vorhin habe ich meine letzte Zigarette geraucht. Und, ehrlich gesagt, sie hat mir schon gar nicht mehr so richtig geschmeckt."

Rudi Stängel wurde bleich. Karin Zinom, ausgerechnet Karin Zinom, die ihm den Treueschwur geleistet hatte, fiel ihm jetzt in den Rücken. Ab sofort war er allein. Er senkte seinen Kopf, starrte trübsinnig auf den Boden und bemerkte deshalb nicht gleich, dass ihm Karin Zinom eine Zigarette entgegenhielt. „Sie dürfen mir nicht böse sein, lieber Herr Stängel. Bitte lassen Sie uns Freunde bleiben", versuchte sie ihn zu trösten.

Rudi Stängel nahm die Zigarette und steckte sie an. „Böse bin ich Ihnen nicht, Frau Zinom, aber niedergeschlagen, weil ich jetzt ganz alleine bin. Der letzte Raucher. Wahrscheinlich wird es nicht mehr lange dauern, bis man das Raucherzimmer für andere Zwecke verwendet." Dabei blickte er seiner Kollegin fest in die Augen: „Vielleicht ist es besser, wenn ich auch aufhöre. Auf jeden Fall freue ich mich, dass Sie sich verliebt haben. Ich wünsche Ihnen viel, viel Glück." Rudi Stängel drückte seine Zigarette aus, umarmte seine Kollegin und verließ schnell das Zimmer, denn sie sollte nicht sehen, wie sich seine Augen mit Tränen füllten.

Selbst Gerlinde Gebacht bemerkte bei seiner Rückkehr an den Schreibtisch, wie niedergeschlagen Rudi Stängel war, und unterließ aus diesem Grund eine der üblichen bösen Bemerkungen.

Der Frühling verging, der Sommer zog vorbei, und Rudi Stängel bemühte sich in all den Wochen, einerseits nicht zu oft dem Schreibtisch fernzubleiben, andererseits das Raucherzimmer kräftig zu verqualmen, um einen regen Gebrauch vorzutäuschen.

Große Freude empfand er allerdings nicht, wenn er in seinem Reservat auf dem Tisch saß und den Rauch in die Luft blies. Stets fühlte er, dass es sein Schicksal war, der letzte seiner Gattung zu sein. Nicht selten grübelte er in diesen Minuten, ob es nicht besser wäre, sich dem Schicksal zu ergeben und zum Nichtraucher zu werden. Doch der Drang nach Nikotin war stärker.

Der Sommer war vorüber und Rudi Stängel dachte gerade mit Schrecken an die kommenden nebligen Herbsttage, als er vom Raucherzimmer nach draußen sah. Tatsächlich, es zogen schon die ersten Nebelschwaden vorüber, fast als hätte sich draußen Rübezahl selbst eine Pfeife angesteckt. Rudi Stängel dachte zurück an die Zeit, als er, noch voller Tatendrang, als junger Mitarbeiter in der Firma angefangen hatte, und in der die Nichtraucher die Minderheit waren. Damals wurden sie belächelt, die Weichlinge, die in den Besprechungen vor sich hinhusteten, wenn ein Raucher zur Zigarettenpackung griff.

Es war wohl die trübselige Stimmung, die Rudi Stängel den Beschluss fassen ließ, die Zigarette zwischen seinen gelbgefärbten Fingern zu seiner letzten zu erklären.

Er gab auf.

Ganz bewusst zog er zum unwiderruflich letzten Mal an der Zigarette und beobachtete, wie sich die Glut dem Filter näherte, wie die Hitze an den Fingern immer stärker wurde.

Als Rudi Stängel zur Türklinke greifen wollte, sprang die Tür auf und zaghaft kam ein junges Pärchen herein. Mit leiser Stimme stellte sich der Junge vor: „Ich bin Tobias Frisch, der neue Azubi. Und das ist Jasmina Begin. Frau Gebacht hat uns gesagt, dass hier das Raucherzimmer ist. Haben Sie etwas dagegen, wenn wir Ihnen Gesellschaft leisten?"

Rudi Stängels Gesicht erhellte sich: „Ob ich etwas dagegen habe? Im Gegenteil. Herzlich willkommen, ganz herzlich willkommen. Ich würde Ihnen gerne eine von meinen Zigaretten anbieten, aber die Packung ist leer."

Jasmina Begin winkte ab: „Lassen Sie mal. Nehmen Sie sich eine Kippe raus und betrachten Sie diesen ersten gemeinsamen Glimmstängel als unseren Einstieg. Morgen können Sie ja eine ausgeben."

Rudi Stängel griff freudig zu. Seine Stimmung hatte sich schlagartig verbessert. Die Zeit der Einsamkeit war vorbei. Er war nicht mehr allein. Die beiden Auszubildenden waren mehr als nur ein Silberstreifen am Horizont, sie waren seine Rettung. Vor seinem geistigen Auge sah Rudi Stängel schon Besprechungen und Workshops vor sich, in denen die Raucher wieder die Oberhand hatten. Glücklich lächelte er Jasmina Begin an: „Entschuldigen Sie, ich habe mich noch gar nicht vorgestellt. Ich bin der Rudi Stängel, der letzte Raucher im Betrieb. Oder besser gesagt: Ich war der letzte Raucher. Offensichtlich bin ich es nun nicht mehr. Ich wünsche mir, dass dies der Beginn einer wunderbaren Freundschaft ist."

Am Abend dieses Tages schlief Rudi Stängel zufrieden ein, gewiss, nicht mehr allein zu sein. Sein Revier war gesichert. Die Gattung würde nicht aussterben.

Müsli-Manni

„Nein, nicht in diesen Behälter. In den linken. Ja, in den linken. Genau. In diesen. Immer daran denken, dass Verpackungen mit dem grünen Punkt in den linken Behälter kommen, organische Abfälle in den rechten. Und im mittleren sollte eigentlich gar nichts landen. Der ist für nicht verwertbaren Müll."

Müsli-Manni war in seinem Element. Als er beobachtet hatte, dass der Neuling die Kaffeeverpackung in den Bio-Behälter werfen wollte, war er aufgesprungen, hatte seine Birkenstocks angezogen und war sofort zur Müllecke geeilt. Nur so entkam die Firma haarscharf der ökologischen Katastrophe.

Manni hatte ursprünglich Sozialwissenschaften studiert, doch nach zwölf Semestern ohne Abschluss hatten ihm seine Eltern die Unterstützung entzogen. In einem Crash-Kurs hatte er sich dann zum Softwareentwickler umschulen lassen, und weil solche Computerspezialisten rar und gesucht waren, konnte er nach dieser Ausbildung fast problemlos in dem Unternehmen unterkommen, dass sich auf die Softwareentwicklung für Windenergieanlagen spezialisiert hatte.

Müsli-Manni nahm den unerfreulichen Zwischenfall an den Abfalleimern zum Anlass, dem Neuling eine kleine Lehrstunde in Sachen Umweltschutz zu erteilen.

„War nicht böse gemeint", beschwichtigte er den neuen Kollegen, lehnte sich dabei zurück und nippte an seiner Tasse Tee. „Aber wir müssen alle gemeinsam unseren Beitrag leisten, um der Müllflut Herr zu werden. Eigentlich sollte sich jeder schon beim Einkauf umweltgerecht verhalten. Wenn ich im zum Beispiel im Bio-Laden Tee kaufe, nehme ich meine Blechdose mit. Null Abfall. So muss es sein."

Dabei holte Müsli-Manni eine braune Tonschüssel mit Haferflocken aus seinem Schreibtisch. „Eigene Mischung", kommentierte er den Inhalt und fragte den Neuen, ob er mal probieren wolle. Dieser verneinte und nutzte die Gelegenheit, um sich zurückzuziehen. Müsli-Manni goss aus einer ebenfalls braunen Glasflasche Milch in die Schüssel, löffelte sein Mittagessen und beschloss dabei, dem Neuling in Sachen Umweltschutz etwas genauer auf die Finger zu sehen.

Am nächsten Morgen beobachtete er ihn argwöhnisch bei der Arbeit. Der Neue nahm ein weißes Blatt Papier, schrieb einige Worte darauf, war offensichtlich nicht zufrieden mit dem Geschriebenen, zerknüllte das Blatt und warf es in den Papierkorb. Manni hatte es geahnt. Das war Umweltfrevel, das konnte er nicht kommentarlos hinnehmen.

Er ging zum Schreibtisch des Kollegen, holte das Blatt wieder aus dem Papierkorb, faltete es auseinander, strich es glatt und setzte sich daneben auf die Schreibtischplatte. „Lieber Kollege, für dieses Blatt Papier hat ein Baum sterben müssen. Es ist noch nicht einmal Recyclingpapier. Blütenweiß, wahrscheinlich mit Chlor gebleicht. Der Tod für Hunderte von Fischen. Das ist schon schlimm genug. Aber dieses Blatt hätte man wenigstens noch verwenden können, denn die Rückseite ist noch völlig frei. Denken Sie an die Erde, sie gehört doch uns allen."

Der Neue sah Müsli-Manni verständnislos an. Er stammelte: „Es ist ... doch nur ... ein Blatt Papier." Nun rastete Müsli-Manni aus: „Nur ein Blatt Papier? Wenn jeder

Mensch auf der Erde pro Tag nur ein Blatt Papier verschwendet, dann sind es ungefähr sechs Milliarden Seiten. Das sind dreißigtausend Tonnen Papier täglich, die da zusammenkommen. Und dafür wiederum werden Dutzende Hektar Wald vernichtet. Der Wald stirbt, weil Sie hier verschwenderisch mit Büromaterial umgehen. In Nord- und Osteuropa, in Brasilien, auf Borneo. Wollen Sie das?"

Die Predigt war ein wenig zu lang gewesen, und so hatte der Neue die Zeit genutzt, seine Gedanken nach dem spontanen Angriff zu sammeln. Obwohl er Mülltrennung und Papiersparen im Prinzip als durchaus sinnvoll erachtete, sagte er nur: „Krieg."

Müsli-Manni verstand ihn nicht: „Wie, Krieg?"

Mit einem Lächeln auf den Lippen entgegnete der Neue: „Sie haben mir eben den Krieg erklärt. Ich nehme die Herausforderung an. Und jetzt lassen Sie mich bitte arbeiten." Und da er merkte, wie überrumpelt sich Müsli-Manni fühlte, schob der Neue, ohne den Blick auf ihn zu richten, gleich die Bemerkung hinterher, dass er zunächst einen Rückzug empfehle. Tief gekränkt folgte der Manni dem Ratschlag.

Während seiner Studienzeit war Müsli-Manni in der Friedensbewegung aktiv. An den Sonnenbrand nach der großen Abrüstungsdemo '82 in Köln mit Kelly und Bahro konnte er sich noch gut erinnern. Krieg war ihm ein Gräuel. Und nun befand er sich, ohne es gewollt zu haben, auf einmal im Kriegszustand. Den ganzen Tag grübelte er. Sollte er kapitulieren? Doch schließlich kam er zu dem Schluss, dass er ins Feld ziehen musste. Es ging ja nicht um ihn, sondern um die Natur.

Am nächsten Morgen wurde er schon morgens in seinem Beschluss bestärkt. Müsli-Manni öffnete den Deckel des

Bio-Abfalleimers, um seinen Teefilter zu leeren: Mitten im Bio-Müll lagen die Verpackungen unzähliger Schokoriegel. Hastig öffnete er den Deckel des nächsten Behälters. Ihm wurde schlecht: Kaffeesatz statt Restmüll. Böses ahnend hob er den dritten Deckel: Batterien inmitten der Grüner-Punkt-Verpackungen.

Hatte Müsli-Manni bislang noch an der Ernsthaftigkeit der Kriegserklärung gezweifelt, war er jetzt eines Besseren belehrt. Der Angriff auf die Natur schrie nach Vergeltung.

Müsli-Manni zwang sich schweren Herzens dazu, nicht sofort loszuschlagen, sondern zunächst gewissenhaft den Feind zu beobachten. Er musste die Schwächen seines Widersachers herausfinden, um eine passende militärische Antwort zu finden. Nach einer Woche kannte er die Schwachstelle des Neuen. Er war geruchsempfindlich.

Montagmorgen eröffnete Müsli-Manni das Feuer mit 120-Millimeter-Moschus-Räucherstäbchen. Kaum hatte der Neue das Büro betreten, sprang er zum Fenster, um es zu öffnen. Müsli-Manni wartete genau drei Minuten. Dann stand er wortlos auf, schloss das Fenster wieder und entzündete die nächste Batterie Räucherstäbchen. Es folgte ein permanentes Öffnen und Schließen des Fensters, angestoßen durch immer wieder neue Geruchsangriffe, bis der Neue zum Rückzug blies und sich am frühen Nachmittag mit einem Stapel Papier unter dem Arm auf den Nachhauseweg machte. Müsli-Manni, der eigentlich nicht zur Schadenfreude neigte, gönnte sich am Abend das erste Glas Bio-Sekt seines Lebens.

Militärische Auseinandersetzungen haben bekanntlich die schlimme Eigenschaft, leicht zu eskalieren und außer Kontrolle zu geraten. Beim Öko-Krieg war es nicht anders. Während man andernorts noch lange nach vermuteten chemischen Kampfmitteln suchen wird, wurden sie hier gewissenlos eingesetzt. Am nächsten Tag erschien der Neue mit Raumspray zur Arbeit.

Es waren nicht die Duftstoffe. Es waren die Treibhausgase, die Müsli-Manni in die Knie zwingen sollten. Vor seinen Augen versprühte der Neue die Dose komplett. Selbst als die Duftstoffe entwichen waren, drückte er noch genüsslich auf den Knopf, und erst als das sanfte Pfeifen der Zerstäuberdüse ganz verstummt war, ging er grinsend zu den Abfallbehältern und ließ die leere Dose in den Bio-Abfalleimer fallen. Müsli-Manni hatte Kopfweh, ihm war schwindlig und schlecht.

Er brauchte mehr als Woche, um sich von seiner strategischen Niederlage zu erholen. Stundenlang dachte er nach, wie der Feind doch noch in die Knie zu zwingen wäre.

Körperliche Gewalt schied aus. Das war nichts für einen Pazifisten wie ihn. Mannis Problem war schlichtweg, dass er in der schwächeren Position war. Der Neue konnte mühelos zerstörerisch wirken, und er verfolgte heimtückische, naturmeuchelnde Ziele. Müsli-Manni fühlte sich eher wie der edle Ritter. Und ihm war klar, dass der nächste Angriff sitzen musste. Er musste den Neuen ein für allemal in die Knie zwingen, denn eine weitere Chance würde er nicht bekommen.

Während der dritten schlaflosen Nacht in Folge kam ihm die rettende Idee. „Heureka!" schrie er in die stille Nacht, die wieder schlaflos wurde, diesmal jedoch aus Vorfreude. Für Manni war das Weckerklingeln das Signal für den letzten Angriff. Er stand auf und zog seine ganz persönliche Uniform an: Die alte Jeans, der weite Pullover aus Naturwolle, den er sich einmal selbst gestrickt hatte, und natürlich die Birkenstocks sollten ihn als echten Krieger der Natur ausweisen. Sie verliehen ihm gesundes Selbstvertrauen. Bevor er das Haus verließ, steckte Müsli-Manni seine Bombe in die Jutetasche. Er hatte sich für biologische Kampfführung entschieden.

Müsli-Manni setzte seine Waffe heimtückisch als Tretmine ein. Weil er besonders früh im Büro erschienen war, um dem Widersacher wirksam die Falle stellen zu können, musste Müsli-Manni über eine Stunde warten. Endlich öffnete sich die Tür und der Neue betrat die Arena. Nicht als Drohgebärde, sondern um die Aufmerksamkeit auf sich zu ziehen, richtete sich Müsli-Manni demonstrativ hinter seinem Schreibtisch auf. Wie geplant fixierte ihn der Feind, während er unsicher zu seinem Schreibtisch ging. Den Blick nicht von Müsli-Manni lassend, bemerkte er nicht die Bananenschale. Er traf sie exakt, rutschte mit dem Bein nach vorne, schrie auf, verlor den Halt, fuchtelte mit den Armen und landete mit einem Donnerschlag auf dem Fußboden.

Mit gespielten Mitleid näherte sich Müsli-Manni dem Opfer seines Anschlags. „Ja, was machen Sie denn, Herr Kollege?", verhöhnte er ihn, „da hat doch tatsächlich jemand eine Bananenschale liegen lassen. Dabei sage ich immer wieder, dass Bio-Müll in den Bio-Abfalleimer gehört."

Der Neue überhörte diese Worte. Zu laut war sein Stöhnen, zu stark war der Schmerz am Ende seines Gesäßes. Er fühlte sich wie ein Soldat, der verwundet am Boden liegt und dem der Gegner sadistisch das Bajonett in den wehrlosen Körper sticht, um es in der Wunde zu drehen und sich am Schmerz des Gepeinigten zu weiden. Als ihn die Sanitäter wenige Minuten später hinaustrugen, wimmerte er leise vor sich hin. Müsli-Manni gab dem Krankentransport

Geleit. Gerade als er begann, sich als endgültiger Sieger zu fühlen, zischte der Neue ihm zu: „Ich komme wieder."

Die Worte trafen Müsli-Manni wie Torpedos. Eben noch hatte er den Endsieg feiern wollen, nun musste er mit der Angst vor dem Gegenschlag leben. Ihm war klar, dass die bisherigen Gefechte nur Scharmützel waren gegenüber den Gräueltaten, die der Feind sich nun ausdenken würde. Müsli-Manni musste sich eine Verteidigungstaktik ausdenken. Als Schachspieler wusste er, dass es galt, zumindest einen Schritt weiter voraus zu denken als der Gegner. Fieberhaft ging er deshalb in den darauffolgenden Tagen alle Möglichkeiten durch. Doch eine Strategie übersah er, die einem in die Defensive getriebenen Feind die Kraft für eine Offensive verleihen kann: ein Bündnis.

Nie wäre Müsli-Manni auf die Idee gekommen, dass der Neue ein Bündnis mit der finstersten aller Mächte schließen würde. Und niemals hätte Müsli-Manni einem Feind zugetraut, alle ethischen Grenzen zu sprengen und sich zu einem nuklearen Gegenschlag treiben zu lassen.

Drei Wochen nach dem Einsatz der Tretmine baute sich der Chef vor Müsli-Mannis Schreibtisch auf. „Herr Eimer, Sie wissen ja, dass wir im Moment nicht ausgelastet sind. Windkraft ist zwar eine Zukunftstechnologie, aber gerade deshalb stürzen sich viele neue Firmen auf dieses Gebiet und machen uns das Leben schwer. Zum Glück ist es unserer Firma gelungen, einen dicken Brocken an Land zu ziehen, der zwar nicht im Rahmen unseres üblichen Geschäftes liegt, bei dem wir aber guten Profit machen können. Es geht um die Sicherheitssoftware eines tschechischen Kernkraftwerkes. Ihr neuer Kollege hat es tatsächlich vom Krankenhaus aus geschafft, diesen Auftrag an Land zu ziehen.

Hier sind die Unterlagen. Sie tragen die Verantwortung für das Projekt!"

Müsli-Manni hat den Neuen nie wieder gesehen, denn noch am gleichen Tag kündigte er fristlos. Angeblich lebt Müsli-Manni heute als Eremit auf einer kleinen Insel östlich von Bali. Wenn Touristen die einheimischen Reptilien beim Verdauen stören, bewirft er sie mit Sand und Steinen.

Der chinesische Trick

Für die Sassel Spritzgussteile, eine kleine Firma im hintersten Winkel des Bayerischen Waldes, war alleine schon die Ankündigung des Besuches einer chinesischen Delegation ein Grund zum Feiern. Bis weit in den Osten hinein hatte sich also die Qualität ihrer Spritzgussteile herumgesprochen.

Begonnen hatte es mit einer Anfrage, die per E-Mail eingegangen war. Da die Anfrage in Englisch abgefasst war und Alois Huber zwei Tage Urlaub hatte, blieb man zunächst eine Antwort schuldig, denn Alois Huber war der einzige Mitarbeiter in der Firma, dessen Englischkenntnisse ausreichten, um den Text zu verstehen und eine auch für Chinesen verständliche Antwort zu formulieren.

Um nichts dem Zufall zu überlassen, hatte Seniorchef Sepp Sassel eine Versammlung einberufen. „Hört einmal zu, Ihr Lieben. Am Dienstag kommen die Chinesen. Sie kommen zu dritt. Zwei Männer und eine Frau. Alois, ich weiß, dass Du fast perfekt bist in Englisch. Aber schon wegen der Höflichkeit sollten wir einen Dolmetscher holen. Bitte kümmere Dich darum. Elfriede, Chinesen trinken keinen Kaffee. Du gehst also zum Edeka und kaufst Tee. Schaust aber nicht aufs Geld, gell! Maria, Du gibst Dein Bestes und machst einen Schweinebraten, wie Du ihn noch nie gemacht hast. Die Chinesen sollen merken, dass es noch etwas anderes gibt als nur Reis und Pekingente. Martin, Dir als Juniorchef steht es zu, den Besuch am Flugplatz in München abzuholen. Vergiss aber nicht, vorher den Wagen zu waschen. Und nimm vor allem Waldis Decke von der Rückbank. Franz, am Montag schwänzt Du die Berufsschule. Ich schreibe Dir auch eine Entschuldigung. Die Werkstatt muss blitzblank sein. Die Chinesen lieben Ordnung. Deinen Ohrring nimmst Du besser raus, ich habe keine Ahnung, ob die Chinesen so etwas mögen. Tu mir den Gefallen und kaue nicht wieder Kaugummi. Die halten Dich sonst für eine Kuh auf der Weide. Hat noch jemand eine Frage?"

Nachdem alle Anwesenden den Kopf schüttelten, ging man gut gelaunt wieder zur Arbeit über.

In der darauffolgenden Woche kam doch die eine oder andere Frage auf. Kann man Schweinebraten mit Stäbchen essen? Unterschreiben Chinesen einen Vertrag mit dem Pinsel? Soll ein Willkommensschild aufgehängt werden? Ziehen Chinesen an der Türe die Schuhe aus?

Zum Glück gab es auch Erfolgsmeldungen. So konnte Alois Huber nach tagelanger Suche einen Dolmetscher auftreiben. Und Elfriede hatte neben schwarzem und grünem Tee auch Jasmintee gefunden, womit sich die Frage erübrigte, welche Teesorte im Reich der Mitte zur Zeit in Mode wäre. Montagabend ging Sepp Sassel ein letztes Mal seine Checkliste durch. Alle Punkte bekamen einen Haken, und Sepp Sassel hatte das Gefühl, alles Menschenmögliche getan zu haben, um den Besuch zum Erfolg werden zu lassen.

Dienstagfrüh machte sich Martin Sassel mit dem Geländewagen auf den Weg nach München. Da sein Vater alles perfekt vorbereitet hatte, konnte er am Ausgang ein Schild hochhalten, auf das der Dolmetscher die Namen der chinesischen Besucher geschrieben hatte. Immer wenn asiatisch aussehende Reisende aus dem Ausgang kamen, fuchtelte Martin Sassel wild mit Schild herum, um auf sich aufmerksam zu machen. Nach zwei Stunden, er hatte die Hoffnung schon aufgegeben, tippte ihm jemand auf die Schulter.

Er drehte sich um und blickte in die schönsten mandelförmigen Augen, die er je erblickt hatte. Vor ihm stand eine große, schlanke, schwarzhaarige Chinesin und lächelte ihn an: „Mistel Saasell?" Mit offenem Mund starrte Martin Sassel die asiatische Schönheit an. Die Chinesin wiederholte: „Mistel Saasell?" Martin Sassel hatte sich gefangen, nickte und brachte, halb stotternd, ein Ja heraus. Er bemerkte nun auch zwei Begleiter, die hinter der Chinesin warteten. Offensichtlich war dies die Delegation.

Mit viel Mühe konnte er den Besuchern klar machen, ihm zu folgen. Sein Vater hatte nicht bedacht, dass Martin Sassel weder Englisch, geschweige denn Chinesisch konnte. Entsprechend schweigsam ging es auf der Fahrt zu. Mit Vollgas fegte der Juniorchef über die Autobahn, um die peinliche Situation möglichst schnell hinter sich zu bringen. Als er endlich die Hofeinfahrt erreichte, warteten dort alle Mitarbeiter der Sassel Spritzgussteile.

Sepp Sassel sprang auf das Auto zu und öffnete die hintere Türe. Kaum waren die Gäste ausgestiegen, sprudelte es aus Sepp Sassel heraus: „Herzlich willkommen in Rahmfels bei der Firma Sassel Spritzgussteile. Es ist uns eine große Ehre, Sie heute empfangen zu dürfen." Noch bevor der Dolmetscher die ersten Worte herausbrachte, hatte Sepp Sassel die Hand des ersten Chinesen mit einem kräftigen Händedruck geschüttelt und auch schon nach der Hand der jungen Chinesin gegriffen, der deutlich anzumerken war, dass der Seniorchef etwas zu fest zugepackt hatte.

Nachdem der Dolmetscher die Begrüßung übersetzt hatte, antwortete der älteste der Chinesen mit einem langen Wortschwall. Der Dolmetscher wartete, bis der Chinese die

Rede mit einem Nicken abschloss. „Herr Fu Man Tau freut sich, dass Sie ihm die Ehre geben, seine Kollegin, seinen Kollegen und ihn zu empfangen. Herr Fu Man Tau bedauert, dass Ihr Sohn am Flughafen so lange warten musste. Herr Fu Man Tau ist beeindruckt von Deutschland und er hätte gerne gewusst, wie viele Einwohner diese große Stadt hat."

Sepp Sassel strahlte übers ganze Gesicht: „Sagen Sie Herrn Fu Man Tau, dass Rahmfels 375 Einwohner hat." Über den Dolmetscher ließ Fu Man Tau wissen, dass er nicht die Einwohnerzahl von Rahmfels wissen wollte, sondern von der riesigen Stadt, deren Namen er während der gesamten Fahrt auf den Schildern an der Autobahn lesen konnte. Sepp Sassel konnte sich nicht erklären, welche Stadt gemeint war und ließ deshalb nach dem Namen fragen. Der Chinese überlegte und artikulierte schließlich: „Aa-uhs-faaht." Sepp Sassel und die gesamte Belegschaft brachen in schallendes Gelächter aus. „Ausfahrt!" Der Seniorchef klopfte sich auf den Schenkel und gleich darauf auf die Schulter des Chinesen, der halb in die Knie ging und dessen Lächeln vom Gesicht verschwunden war. Sepp Sassel, der bereits Tränen in den Augen hatte, bemerkte den Gesichtsausdruck nicht. Unbekümmert forderte er die Besucher auf, ihm zu folgen.

In der nächsten Stunde präsentierte Sepp Sassel voller Stolz seinen Betrieb, der wirklich blitzblank herausgeputzt war. Franz hatte selbst den kleinsten Winkel ordentlich gereinigt. Sogar den Ohrring hatte er herausgenommen und den Kaugummi hatte er, als die Delegation hereinkam, schnell unter die Drehbank geklebt. Sepp Sassel war in seinem Element und in seinem Rededrang nicht zu bremsen. Der Übersetzer kam gehörig ins Schwitzen und war froh, dass die Mittagszeit nahte. Da ihr der Pausenraum nicht angemessen erschien, hatte Maria den Tisch im Wohnzimmer der Familie Sassel festlich eingedeckt.

Sepp Sassel betrat als erster die gute Stube: „Alles klar, Maria? Jetzt gilt's. Die Rasselbande rückt an. Die haben bestimmt einen Riesenhunger. Ganz abgemagert sehen sie aus. Naja, wenn man jeden Tag nur Reis bekommt, ist das kein Wunder." Während er dies sagte, klopfte er Fu Man Tau, der ihn fragend ansah, auf die Schulter. Mit den Worten „komm mein Freund" geleitete er den Gast zum Tisch. Maria hatte neben Besteck auch Essstäbchen ausgelegt. Kaum hatten die Gäste Platz genommen, brachte die gute Seele eine Schüssel mit dampfenden Klößen herein. Es folgte eine große Platte mit Schweinebraten. Maria legte jedem Gast zwei große Klöße und drei dicke Scheiben Braten auf den Teller. Sepp Sassel nickte den Chinesen zu: „Guten Appetit. So sagt man bei uns."

Er wartete darauf, dass die Gäste den ersten Bissen zu sich nehmen würden. Doch die blickten sich ratlos an.

Sepp Sassel wollte nicht unhöflich sein und nicht den Anfang vor seinen Gästen machen. Die aber saßen vor den Tellern und blickten auf Sepp Sassel. Endlich verstand Sepp Sassel, wo das Problem lag. Mit den Stäbchen konnte man keine Klöße essen und den Umgang mit Messer und Gabel war der Besuch offensichtlich nicht gewohnt. Sepp Sassel stand auf, stellte sich hinter die Chinesin, beugte sich vor, griff nach Messer und Gabel und schnitt die Klöße und die Bratenstücke in mundgerechte Stücke. Die Gesichter der Chinesen erhellten sich. Fu Man Tau und seine Kollegen nahmen nun ebenfalls Messer und Gabel in die Hand. Der Umgang mit dem Besteck fiel ihnen zwar nicht leicht, doch ging es Sepp Sassel mit den Stäbchen nicht anders.

Die vollen Backen der Gäste und das damit verbundene Schweigen nutzte Sepp Sassel für die Abstimmung des weiteren Programmes: „Alois, nach dem Essen gilt es. Das wäre doch gelacht, wenn es uns nicht gelänge, unseren Gästen unsere Produkte aufzuschwatzen. Ich glaube, der Alte ist schon voll auf unserer Seite." Dabei schaute er zu Fu Man Tau hinüber und lächelte ihn an. Fu Man Tau lächelte zurück und verbeugte sich leicht. Eine halbe Stunde später ließ Sepp Sassel zum Abschluss des Mittagessens Obstler servieren. Als die Chinesin daran nippte und sich schüttelte, lachte Sepp Sassel: „Na, meine Hübsche, das ist mal etwas anderes als grüner Tee." Zum Übersetzer gewandt meinte er: „Sagen Sie der Süßen, dass im Glas Wasser aus dem Bayerischen Wald ist. Wir trinken das jeden Tag!"

Nachdem alle Gläser geleert waren, führte Sepp Sassel die Gäste in sein Büro, in dem eine Vitrine mit Produkten stand. Stolz öffnete der Firmenchef die Glastüre und holte einige der Produkte heraus. Er drückte sie den chinesischen Gästen in die Hand. „Schaut Euch das richtig an. Das ist Qualität. Nicht so ein billiger Plunder aus Fernost." Rasch fügte er für den Dolmetscher hinzu, dies nicht zu übersetzen, sondern den Gästen mitzuteilen, dass alle Teile qualitativ äußerst hochwertig wären.

Der Dolmetscher tat seine Pflicht, lauschte der Antwort von Fu Man Tau und gab die Botschaft an Sepp Sassel weiter: „Herr Fu Man Tau ist sich sicher, dass die Qualität gut ist. Er geht aber davon aus, dass der Preis für ihn unbezahlbar ist." Sepp Sassel war leicht gekränkt: „Ja, glaubt der Herr etwa, ich kann ihm meine tollen Produkte schenken? Qualität hat seinen Preis. Sagen Sie dem Fu Man Tau, dass er doch gar nicht weiß, ob die Produkte teuer sind. Oder noch besser: Fragen Sie ihn, welchen Preis er denn gerne bezahlen würde. Vielleicht liegt er dann sogar über meinem Preis und ich kann richtig Gewinn machen." Der Übersetzer begann wort- und gestenreich, die Botschaft an die Delegation weiterzugeben. Fu Man Tau lauschte den Ausführungen, neigte seinen Kopf zur Seite und antwortete in seiner melodienreichen Sprache. Sepp Sassel war gespannt auf den Preisvorschlag.

Der Übersetzer spannte den Firmenchef nicht lange auf die Folter: „Herr Fu Man Tau wäre bereit, einen Stückpreis von 3,95 € bezahlen." Sepp Sassel verdrehte die Augen. „Der ist ja ein richtiger Halsabschneider. Soll ich ins Armenhaus gehen? Alois, was meinst du? Unsere Selbstkosten liegen ja schon bei 4,25 €. Bei dem Preis würden wir auf jeden Fall draufzahlen. Du bist doch ein guter Menschenkenner. Meinst Du, dass der Knabe bereit ist, mehr zu zahlen?"

Alois Huber lächelte die Chinesen an und wandte sich dann seinem Chef zu: „Sepp, den kochen wir uns weich. Da packt mich der Ehrgeiz. Wir versuchen es erst einmal auf die weinerliche Tour. Kollege Übersetzer, sag den Chinesen, dass unsere Selbstkosten bei 5,38 € liegen. Da wir auch ein wenig verdienen wollen, muss der Preis bei mindestens 5,55 € liegen. Weniger ist nicht drin."

Nachdem der Übersetzer den Gegenvorschlag übermittelt hatte, begannen die Chinesen untereinander zu diskutieren. Es dauerte eine ganze Weile, bis Fu Man Tau auf den Übersetzer einredete. Der hörte geduldig zu und teilte Sepp Sassel und Alois Huber das Ergebnis der Diskussion mit: „Herr Fu Man Tau wundert sich darüber, dass Sie noch gar nicht nach den Stückzahlen gefragt haben. Bei den Mengen, die er abnehmen will, muss einfach ein niedrigerer Preis möglich sein. 4,04 € bei einer Abnahme von 5 Millionen Stück hält Herr Fu Man Tau für ein faires Angebot."

Sepp Sassel wurden die Knie weich. Mit einer Million Stück hatte er insgeheim gerechnet, nun war von der fünffachen Menge die Rede. „Alois, hast du das gehört? Fünf Millionen! Wenn wir diesen Auftrag bekommen, ist Vollbeschäftigung für die nächsten Monate gesichert. Bei dieser Menge müssten wir unsere Einkaufspreise drastisch drücken können. Und die Rüstzeiten fallen kaum mehr ins Gewicht. Auf die Schnelle überschlagen, dürften die Selbstkosten bei 4,02 € liegen." Aufgeregt fiel ihm Alois Huber ins Wort: „Da würde sogar noch ein Gewinn von 100.000 € zusammenkommen!"

Sepp Sassel vergaß für einen Moment, dass es für die Verhandlung gar nicht günstig war, überschwängliche Freude zu zeigen. „Ich könnte den Fu Man Tau an mich drücken und ihn ordentlich knutschen. Alois, ich denke, wir machen das Geschäft."

Nachdem der Übersetzer die Zustimmung übermittelt hatte und Sepp Sassel gespannt auf den Zuschlag wartete, schüttelte Fu Man Tau den Kopf und gab dem Übersetzer eine Antwort. „Herr Fu Man Tau fragt, warum der Preis plötzlich so niedrig sein kann. Er hat den Eindruck, dass Sie ihn übervorteilen wollten."

Sepp Sassel stotterte: „Sagen Sie ihm, dass wir bei dieser Menge viel günstiger einkaufen können. Es liegt uns fern, unsere chinesischen Freunde übers Ohr hauen zu wollen."

Während der Übersetzer mit Fu Man Tau sprach, grollte Sepp Sassel: „Alois, der Chinese ist ein Sauhund. Ich hatte gedacht, wir haben das Geschäft unter Dach und Fach."

„Ich hoffe, dass Sie dennoch mit dem Sauhund das Geschäft abwickeln", sagte Fu Man Tau in bestem Hochdeutsch.

Sepp Sassel und Alois Huber liefen rot an. Während Alois Huber mit offenem Mund vor den Chinesen stand, stammelte Sepp Sassel: „Sie, Sie können Deutsch? Sie haben die ganze Zeit verstanden, was wir gesagt haben?" Fu Man Tau nickte. „Ich habe in Deutschland studiert und habe eine deutsche Frau. Das ist vielleicht der Grund, warum ich die deutsche Qualität so schätze. Ich bin bereit, das Geschäft zu machen. Allerdings würde ich gerne darauf verzichten, von Ihnen geknutscht zu werden."

Sepp Sassel hatte seine Fassung wieder gefunden und lachte los: „Verzichten wir auf das Knutschen. Gilt unter den Chinesen der Handschlag? Ich versichere Ihnen, dass wir Sie nicht enttäuschen werden. Jedes einzelne Teil werden wir prüfen, damit die Qualität stimmt. Schlagen Sie ein?" Fu Man Tau lachte und gab dem Firmenchef die Hand. Alois Huber rief nach draußen: „Maria, kannst Du mit dem Schnaps kommen? Wir haben etwas zu begießen." Nachdem alle Gläser geleert waren, blickte Fu Man Tau auf die Uhr. „Liebe Gastgeber, es ist höchste Zeit sich zu verabschieden. Wir müssen noch unseren Flieger bekommen." Sepp Sassel ließ es sich nicht nehmen, die drei Geschäftspartner zum Flugplatz zu fahren.

In der Abfertigungshalle drückte Sepp Sassel jedem der Besucher kräftig die Hand. Als Fu Man Tau an der Reihe war, blickte ihm Sepp Sassel tief in die Augen, zwinkerte ihm zu und fragte: „Eines müssen Sie mir noch verraten. Wenn Sie so gut Deutsch können, war Ihnen doch klar, dass Ausfahrt keine Stadt ist. Wollten Sie mich da auf den Arm nehmen?"

Fu Man Tau lächelte: „Ich wollte Ihnen zunächst nur ein perfektes Theater vorspielen, denn ich möchte gerne wissen, mit wem ich Geschäfte mache. Bei Ihnen habe ich den Eindruck, dass ich mich auf Sie verlassen kann. Ich freue mich auf unsere Zusammenarbeit."

Mit diesen Worten entschwanden Fu Man Tau und seine beiden Begleiter. Sepp Sassel sah ihnen lange nach, drehte sich schließlich um und murmelte vor sich hin: „Eines muss man den Chinesen lassen. Das sind schlaue Leute. Aber nett sind sie trotzdem."

Die Macht der Zylinder

Auf diesen Moment hatte sich Wilhelm auf Schneider lange gefreut: Mit seinem neuen, silbernen Sechszylinder bog er auf sein Firmengelände ein. Der Zeitpunkt stimmte auf die Sekunde, denn exakt in diesem Augenblick näherte sich auch die Limousine seines größten Konkurrenten der Hofeinfahrt auf der gegenüberliegenden Seite der Straße. Wilhelm auf Schneider genoss den erstaunten, neidvollen Blick seines größten Widersachers, Berti Brotz. Was die Zahl der Zylinder betrifft, hatte er mit dem neuen Firmenwagen nun gegenüber Berti Brotz gleichgezogen, doch dem Modell seines verhassten Konkurrenten von der Firma gegenüber sah man die Jahre deutlich an, während bei seinem Auto der Lack fabrikneu glänzte. Endlich also lag auf Schneider in Sachen Firmenwagen vorn.

„Frau Fliege, ordern Sie sofort, aber sofort, alle Autoprospekte der Oberklasse. Nur Modelle mit acht Zylindern. Mit acht Zylindern!", schrie Brotz aufgeregt ins Handy, nachdem er sein Auto verlassen hatte und sein Bürogebäude betrat. Er stürmte die Treppe hoch, japste nach Luft und hechelte: „Nein, ordern Sie die Prospekte besser nicht. Fahren Sie sofort los und holen Sie die Prospekte persönlich ab."

Inzwischen war Berti Brotz an seiner Bürotür angekommen, stemmte sie auf, und obwohl er nun Frau Fliege gegenüberstand, brüllte er immer noch in sein Handy: „Ach was, lassen Sie das mal mit dem Fahren. Bestellen Sie die Vertreter der drei Autohäuser hierher. Es ist jetzt 8:31 Uhr. Um

9:00 Uhr soll der erste vorsprechen, um 9:15 Uhr der zweite und um 9:30 Uhr der dritte."

Währenddessen hatte auch Wilhelm auf Schneider sein Büro erreicht. Seine Sekretärin, Frau Leise, hatte ihm kaum den Mantel abgenommen, als es überglücklich aus ihm heraussprudelte: „Sein Gesicht! Sein Gesicht hätten Sie sehen sollen. Leise, dieser Anblick! Grün, grün vor Neid ist er angelaufen. Nein, dieses Gesicht! Jeder Euro, den ich in das Auto gesteckt habe, war bestens investiert. Nein, dieses Gesicht!"

Pünktlich um 9:30 Uhr meldete sich der Vertreter des Autohauses Fahr & Spar bei Berti Brotz: „Sehr geehrter Herr Brotz, was kann ich für Sie tun?" Berti Brotz kam gleich zur Sache: „Ich brauche einen Achtzylinder. Mit allem Schnickschnack. Meinen alten gebe ich natürlich in Zahlung. Ihre beiden Konkurrenten haben mir schon günstige Angebote gemacht."

Der Vertreter witterte einen leichten Vertragsabschluss. „Da empfehle ich Ihnen unser Top-Modell. Es ist genau das, was Sie suchen. Drei Liter Hubraum, elektrische Sitzverstellung, elektrische Fensterheber sowieso, eingebauter Fernseher, Kühlschrank, Bar, Navigationssystem und so weiter und so fort. Es fehlt an nichts. Die Lieferzeit ist momentan sehr günstig. Runde zehn Wochen und das Schmuckstück steht vor Ihrer Haustür."

Berti Brotz war ungehalten: „Nein, zehn Wochen kann ich nicht warten. Spätestens Anfang nächster Woche will ich, ach was sage ich, muss ich das neue Flaggschiff haben. Gibt es denn keine andere Möglichkeit?"

Berti Brotz war eigentlich ein geschickter Einkäufer, der durch nichts zu überlisten war. Heute war es anders, der Neid machte ihn fahrlässig. Der Vertreter spürte seine

Chance, aus Zeit Geld zu machen, und äußerlich sachlich, innerlich jubelnd, machte er Berti Brotz ein anderes Angebot: „Herr Brotz, weil Sie ein guter Kunde sind, habe ich vielleicht doch eine Lösung für Sie. Wir haben auf unser Autohaus ein Modell in Nachtblau mit allen Schikanen als Vorführwagen angemeldet. Der Juniorchef hat ihn nach seinen ganz persönlichen Wünschen zusammengestellt. Wenn ich den Junior darum bitte, kann ich Ihnen diesen Traum von Auto sicher zum normalen Einkaufspreis übereignen."

Berti Brotz war ein Mensch, der selbst am Samstagmorgen beim Bäcker um den Preis der Brötchen feilschte. Aber nun willigte er sofort ein, für das gebrauchte Vorführmodell den Neuwagenpreis zu entrichten, nachdem ihm der Vetreter versichert hatte, dass er den Achtzylinder gegen Ende der Woche vor der Türe hätte.

Überglücklich schüttelten sich Brotz und der Vertreter die Hände: Berti Brotz sah bereits das Ende seiner Schmach vor sich, und der Vertreter hatte es geschafft, den größten Ladenhüter des Autohauses zu verkaufen – und das sogar zum Listenpreis.

Der Freitagmorgen war ein Triumphzug für Berti Brotz. Sein Glück kannte keine Grenzen, als er sich seiner Firmeneinfahrt näherte, denn gegenüber öffnete Wilhelm auf Schneider gerade in diesem Moment das schmiedeeiserne Tor und hatte deshalb, wie jeden Tag, sein Auto mit laufendem Motor auf der Straße davor abgestellt.

Für mehrere Sekunden drückte er genüsslich den Knopf der Hupe. Erschrocken drehte sich Wilhelm auf Schneider um, sah den dunkelblauen Achtzylinder und entdeckte am Steuer den aufgeregt fuchtelnden Brotz. Mit offenem Mund stieg er in seinen Luxus-Sechszylinder, der von einem Augenblick auf den anderen völlig wertlos geworden war.

Als er in den Hof einbog, spürte er, wie ihm der Blick seines ungeliebten Konkurrenten im Nacken brannte.

Niedergeschlagen schlich sich auf Schneider in sein Büro. Nicht einmal eine Woche hatte er seinen Vorsprung genießen können. Mehr als eine Stunde war er unfähig zu denken, geschweige denn etwas Vernünftiges zu arbeiten. Schließlich griff er zum Telefonhörer, um seinen Buchhalter anzurufen: „Herr Konten, wie viel haben wir zur Zeit auf der Bank?" Die Summe, die ihm Herr Konten nannte, war zwar nicht schwindelerregend, doch hatte auf Schneider noch etwas Geld im Ausland geparkt. Für den Fall der Fälle, – und der war nun offensichtlich eingetreten. Sofort hatte er einen Plan. Er rannte die Treppe hinunter, stieg in sein Auto und brauste, sich nicht um die Höchstgeschwindigkeit kümmernd, zum einzigen italienischen Autohaus am Ort.

„Sie wollen kaufen Auto? Ich kann Ihnen bella Auto zeigen. Zwölf Zylinder, Spitze 320, knallrot. In drei Sekunden Sie sind auf Hundert. Eine Traum von eine Auto. Und kostet fast nix. Weil Sie heute erster Kunde, sie zahlen noch nicht einmal 100.000. Sie bekommen für 99.900", empfing ihn der Chef des Autohauses persönlich.

Auf Schneider entgegnete gefasst: „Geben Sie mir zwei Stunden, dann habe ich 75.000 in bar. Bis dahin haben Sie den Wagen angemeldet. Den Rest bekommen Sie morgen. Einverstanden?"

Schon zweieinhalb Stunden später kehrte auf Schneider zu seiner Hofeinfahrt zurück. Im Leerlauf drehte er den Motor des Zwölfzylinders hoch. Berti Brotz hörte das laute Brabbeln und schreckte hoch. Keine zwei Sekunden später sah auf Schneider, wie Brotz totenbleich am Fenster stand. Seine bösen Blicke waren wärmende Sonnenstrahlen für den stolzen Autobesitzer. Aufgeregt rannte er zu seinem Büro, umarmte Frau Leise und jubelte: „Sieg! Sieg! Ich habe es geschafft. Der Brotz hat verloren. Klein ist er. So klein ist er, mit Hut!" Wie klein, zeigte er mit Daumen und Zeigefinger. „Ach, was sage ich – von wegen klein mit Hut. So klein mit Zylinder", fuhr er fort. „Und davon hat er ja nur acht. Frau Leise, holen Sie Champagner und zwei Gläser. Wir müssen anstoßen."

Wilhelm auf Schneider hatte ja keine Ahnung, dass Berti Brotz bereits ein Ticket nach London gebucht hatte. Er hatte übers Internet blitzschnell eine kleine Automobilschmiede ausfindig gemacht, die einen Sportwagen mit sechzehn Zylindern anbot.

Bereits der Preis, der bei einer Viertelmillion feinster englischer Pfund lag, deutete auf die Exklusivität dieser handgefertigten Traumkarosse hin. Um sicher zu gehen, den Autokauf zügig abwickeln zu können, hatte Brotz alle Kreditmöglichkeiten ausgeschöpft, sich das Geld in großen Scheinen ausbezahlen lassen und in einen Aktenkoffer verstaut. Mit diesen Barmitteln ausgestattet, machte er sich auf den Weg zur Inselhauptstadt.

Der Empfang beim Hersteller war typisch britisch: Nicht ausgesprochen herzlich oder gar überschwänglich, eher distanziert, aber verbindlich und vertrauenserweckend. Berti Brotz passte nicht, dass er vier Wochen auf den Sportwagen warten sollte. Und so vereinbarte er bei einer Tasse Tee noch einmal eine zusätzliche Zahlung von 20.000 Pfund, falls es den Briten gelingen sollte, das Prunkstück innerhalb von zwei Wochen vor seine Tür zu stellen.

Zwei Wochen musste Berti Brotz morgens und abends die Demütigung ertragen, wenn auf Schneider seinen Zwölfzylinder brummen ließ. Doch die Aussicht auf sechzehn Zylinder gab Berti Brotz die Kraft, diese akustische Folter zu überstehen. An einem Montagmorgen war der langersehnte, große Moment gekommen. Der Traum wurde behutsam vom Autotransporter gerollt.

Leider war die Freude darüber ein wenig getrübt, weil Wilhelm auf Schneider an diesem Tag nicht in seinem Büro erschienen war. Dennoch lief Berti Brotz mit pochendem Herzen um seinen Neuerwerb herum. Sanft streichelte er mit den Fingerkuppen über den glänzenden Lack. Wollüstig warf er einen ersten Blick unter die Motorhaube. Seine Finger massierten das Lenkrad. Dieses Gerät war unschlagbar.

Gerade stellte sich Berti Brotz vor, wie auf Schneider wohl reagieren würde, als ihm jemand von hinten auf die Schulter tippte. „Entschuldigung, sind Sie Berti Brotz?"

Voller Stolz drehte er sich um und blickte in das Gesicht eines ganz unscheinbar aussehenden, etwa fünfzigjährigen schnauzbärtigen Brillenträgers. „Ja, ich bin Berthold Brotz, Eigentümer des ersten Sechszehnzylinders auf deutschem Boden!"

Der Brillenträger schüttelte den Kopf: „Es tut mir leid, dass ich Sie korrigieren muss. Gestatten Sie bitte, dass ich mich vorstelle. Ich bin Gustav Weck, Gerichtsvollzieher. Juristisch gesehen sind Sie im Moment der Besitzer dieses schmucken Stückes Blech. Der Eigentümer sind Sie allerdings nicht, denn ich muss Ihnen neben dem TÜV-Siegel auch ein Pfandsiegel anbringen. Der Wagen ist Eigentum Ihrer Gläubiger – und das sind gar nicht wenige. Ich kann durchaus verstehen, dass man sich in einen solchen Traumwagen verlieben kann. Allerdings sollte man auf dem Teppich bleiben. Sie glauben ja gar nicht, wie viele Menschen es gibt, die einfach über Ihre Verhältnisse leben. Am Wochenende zum Beispiel hat ein Firmenbesitzer seinen Zwölfzylinder komplett zerlegt. Er ist mit dem Leben davongekommen. Und wenn es gut geht, wird seine Firma ebenfalls überleben."

Vier Monate später, es regnete in Strömen, war Berti Brotz, wie jeden Tag seit diesem Vorfall, zu Fuß auf dem Weg zur Arbeit, als ein klappriger Rosthaufen an ihm vorbeifuhr. Zum Glück erkannte Berti Brotz den Fahrer nicht.

Die Null und die Nullen

Egon Kupfer war ein Kollege, den ein Biologe kurz und bündig als Schmarotzer bezeichnet hätte. Mangelnde Begabung, Kenntnisse und Durchsetzungskraft ersetzte er durch Hinterlist und Durchtriebenheit. Hierin war er allerdings ein absoluter Meister. Stets hielt er seine Ohren offen, und wehe, wenn Kollegen in seinem Beisein über ihre Ideen sprachen. Im Nu brachte er sie zu Papier, sandte sie dem Abteilungsleiter und heimste sich ein Lob dafür ein.

„Herr Kupfer, ich muss schon sagen – das Konzept, das Sie mir geschickt haben, wird uns ein gutes Stück weiterhelfen. Ich bewundere immer wieder Ihre Ideen", meldete sich der Abteilungsleiter am Telefon. Egon Kupfer tat so, als wäre ihm das Lob peinlich: „Das ist doch nicht der Rede wert. Für mich ist es selbstverständlich, mich für die Firma einzusetzen. Außerdem fällt es mir nicht schwer, solche Ideen zu entwickeln. Das geht ganz nebenbei."

Egon Kupfer lehnte sich zufrieden in seinen Stuhl zurück. Einmal mehr hatte er Pluspunkte gesammelt und sich in Szene gesetzt. Wenig später machte er sich selbstzufrieden auf den Weg zur Buchhaltung. Die Kollegen dort, die Egon Kupfer abwertend als „Zahlensklaven" bezeichnete, hatten ihn aufgefordert, eine Kostenstelle zu benennen, um ihm 400 Euro belasten zu können. Diese Summe war angefallen, als er dem Geschäftsführer zum Jubiläum eine Armbanduhr geschenkt hatte. Egon Kupfer hatte so getan, als hätte er mühevoll gesammelt und den fehlenden Betrag aus der eigenen Tasche bezahlt. Später hatte er die Rechnung der Buchhaltung geschickt und darauf vermerkt, dass der Betrag ausgeglichen werden solle.

In der Buchhaltung traf Egon Kupfer niemanden an. Das Büro war verwaist, ein Glücksfall für ihn. Er ging von Schreibtisch zu Schreibtisch und schnüffelte in den Papieren. Lange musste er nicht suchen. Auf einem der Tische lag ein handschriftlich verfasster Zettel mit der Überschrift „Konzept". „Bingo", murmelte er vor sich hin und überflog den Inhalt. Es ging um das eigenhändige Anlegen von Kostenstellen per Computer. In Windeseile hatte Egon Kupfer erfasst, um was es im Detail ging, und noch schneller verließ er das Büro.

Der Nachmittag gehörte dem Formulieren eines neuen Schriftstückes. In allen Einzelheiten schilderte Egon Kupfer, wie Leiter von Kostenstellen per Computer untergeordnete Kostenstellen einrichten können. Um keine Zeit zu verlieren, druckte er die Seiten sofort aus und brachte sie zu seinem Chef.

„Darf ich kurz stören?", fragte Egon Kupfer vorsichtig, als er an den Schreibtisch seines Vorgesetzten herantrat, und als dieser die Frage bejahte, redete Egon Kupfer auf ihn ein: „Ich hoffe, ich komme nicht ungelegen, aber ich hatte eben wieder eine Idee und habe sie gleich zu Papier gebracht. Es geht um das eigenverantwortliche Anlegen von Unterkostenstellen. Das Verfahren ist ganz einfach und erlaubt dem Leiter der Kostenstelle, die Kosten noch viel besser als bisher unter Kontrolle zu halten. Könnten Sie sich meine Gedanken in einer ruhigen Minute einmal ansehen?" Der Chef nickte und Egon Kupfer machte sich zufrieden auf den Nachhauseweg.

Am nächsten Vormittag bestellte der Abteilungsleiter Egon Kupfer in sein Büro und teilte ihm mit: „Ich habe heute früh bei der Morgenrunde Ihre Idee vorgestellt. Da hat mein Kollege aus der Buchhaltung doch glatt behauptet, einer seiner Mitarbeiter hätte diese Idee bereits seit längerem gehabt. Da ich Ihre Ausarbeitung hochhalten konnte, hatte ich natürlich die besseren Karten und konnte somit beweisen, dass die ursprüngliche Idee von Ihnen kommt. Herr Kupfer, Sie sollten vorsichtiger sein und darauf achten, niemanden etwas über Ihre Vorhaben zu erzählen und vor allem keine Papiere offen auf dem Schreibtisch liegen zu lassen. Es gibt viele Kollegen, die nur darauf warten, anderen die Ideen zu stehlen und als die eigenen zu verkaufen."

„Danke für den Hinweis, Herr Glauber, da haben Sie sicher recht", pflichtete Egon Kupfer ihm bei und kehrte an seinen Arbeitsplatz zurück.

Er wusste, dass ihm die Kollegen aus der Buchhaltung im Moment nicht wohlgesonnen waren. Beim Vertuschen der offenen Rechnung konnte er sicher nicht mit ihrer Unterstützung rechnen. Egon Kupfer blickte auf die Uhr. Höchste Zeit für die Frühstückspause.

Er breitete die Tageszeitung vor sich aus und begann, wie jeden Tag, zunächst den Wirtschaftsteil zu lesen. Die Börsenkurse gingen wieder einmal kräftig nach unten, die Zahl der Insolvenzen nahm zu und es gab einen neuen Fall von Wirtschaftskriminalität. Die Überschrift über dem betreffenden Bericht ließ ihn stutzen. Es ging um einen Betrugsfall per Computer. Ein Programmierer hatte bei allen Zinsberechnungen die Beträge, die drei Stellen hinter dem Komma anfielen, auf sein Privatkonto geleitet. Obwohl jeder einzelne Betrag nur wenige Zehntel eines Cent betrug, kam eine stattliche Summe heraus.

Egon Kupfer überlegte. In diesem Kriminalfall steckte die Lösung seines Problems. Er legte die Zeitung beiseite und widmete sich für den Rest des Tages wieder seinen Vorgängen. Am nächsten Morgen schaltete er seinen Computer ein und las die elektronische Eingangspost. Wie erwartet war eine Rundmail versandt worden, in der das selbstständige Einrichten von Kostenstellen beschrieben wurde. Darauf hatte Egon Kupfer gewartet. Er griff zum Telefonhörer und rief bei der Buchhaltung an. „Kupfer hier", meldete er sich mit möglichst freundlicher Stimme, „lieber Kollege, ich habe nur eine kleine Frage. Was geschieht eigentlich, wenn bei einer Transaktion ein Betrag nur 0,4 Cent beträgt? … Wie? … Ach so, dann wird er einfach auf Null abgerundet. Ist ja auch irgendwie logisch. Herzlichen Dank."

Egon Kupfer legte den Telefonhörer auf und klatschte in die Hände. Er verstand genug von Computern, um ein kleines Programm verfassen zu können, das in wenigen Augenblicken hunderttausend Kostenstellen einrichten konnte. Kaum hatte sein PC den Abschluss des Programms gemeldet, kopierte Kupfer die Kostenstellen auf eine Diskette. Dann machte er sich auf den Weg zur Buchhaltung.

Forsch betrat er den Raum und begrüßte die Anwesenden: „Guten Tag, liebe Kollegen. Ich komme wegen der offenen Rechnung über die 400 Euro. Ich habe mir gedacht, ich mache Ihnen das Leben leichter, und deshalb habe ich hier eine Diskette, auf der die Kostenstellen gelistet sind, die zu gleichen Teilen belastet werden sollen. Sie brauchen die Diskette nur einschieben und dann bucht der Computer automatisch die Einzelbeträge auf meine neu angelegten Unterkostenstellen."

Wie erwartet nahmen die Kollegen aus der Buchhaltung die Diskette in Empfang, ohne allzu großen Dank zu bekunden. Egon Kupfer konnte sich den Groll durchaus vorstellen, den die Kollegen wegen des Ideenklaus ihm gegenüber hegten. Deshalb war er erleichtert, als er den Raum verlassen konnte.

Mehrmals kontrollierte er an diesem Tag, ob die Buchhalter die Kosten schon überspielt hatten, doch die 100.000 Unterkonten wiesen allesamt keinen Betrag aus. Erst am nächsten Morgen konnte sich Egon Kupfer zufrieden in seinen Stuhl zurücklehnen. Alle Konten wiesen einen Betrag von 0,4 Cent aus. Wenn die Aussage der Buchhaltung stimmte, würde am Abend ein Korrekturlauf stattfinden und alle diese Beträge würden auf Null gesetzt.

Egon Kupfer hatte es geschafft. Die Rechnung hatte sich in Luft aufgelöst. Amüsiert überlegte er, ob er mit diesem Trick vielleicht auch weiterhin auf Kosten anderer agieren könnte. In Gedanken malte er sich aus, wie er als Kostenstellenleiter im Budget bleiben und dennoch kräftig Geld ausgeben könnte.

Das Klingeln des Telefons riss ihn aus seinen Tagträumen. Der Abteilungsleiter zitierte Egon Kupfer zu sich. Gehorsam folgte er dem Ruf und setzte sich voller Selbstbewusstsein auf den Besucherstuhl gegenüber seinem Chef.

Der Abteilungsleiter zögerte nicht lange und begann sofort zu toben: „Sagen Sie mal, Herr Kupfer, was haben Sie sich eigentlich dabei gedacht? Wissen Sie, dass eine interne Belastung in Höhe von 1.000.000 Euro auf Sie zukommt? Es macht doch keinen Sinn, 100.000 Kostenstellen einzurichten."

Egon Kupfer rang nach Luft: „Wieso, warum? Warum wollen mir die Zahlensklaven eine solche Summe berechnen?"

Der Abteilungsleiter wurde noch zorniger: „Weil in dem Rundschreiben stand, dass jede Buchung auf eine Unterkostenstelle mit einer Buchungspauschale von 10 Euro belastet wird. Bei Ihrer blödsinnigen Vorgabe, lächerliche 400 Euro auf 100.000 Kostenstellen aufzuteilen, ergeben sich also 1.000.000 Euro interne Verrechnungskosten. Ja meinen Sie denn, wir wollen uns in Zukunft nur noch mit dem Herumschieben von Kosten befassen?"

Egon Kupfer war am Boden zerstört. Tatsächlich hatte er im Überschwang das Rundschreiben nur überflogen und den unteren Teil nicht beachtet. Eine Entschuldigung stammelnd trat er den Rückzug an. Zu allem Unglück traf er im Gang noch zwei Kollegen aus der Buchhaltung, die ihn freundlich grüßten.

Im Weitergehen hörte Egon Kupfer, wie sich die beiden unterhielten: „Hast Du von dem Zahlenzauberer gehört? Er wollte 400 Euro verschwinden lassen, aber der Trick hat nicht geklappt. Stattdessen hat er aus der Summe 1.000.000 Euro gemacht. Wir sollten ihn als neuen Finanzchef vorschlagen."

„Pst, Du solltest die Idee nicht zu laut durch die Gegend rufen, sonst schnappt Dir noch jemand den Einfall vor der Nase weg."

Egon Kupfer zog den Kopf möglichst tief ein und dachte sich, dass er mit Sicherheit nicht derjenige sein würde.

Das Gerücht

„Wie? Der Krebs? … Geschlagene zwei Millionen? … Für drei Millionen? … Dem Kind angedreht? … Das ist ja der Hammer! … Der Mann muss gefeiert werden!"

Gerade als Direktor Dotter dieses interessante Gespräch führte, gab der Vertreter Erwin Stumpf im Vorzimmer seinen wöchentlichen Reisebericht ab und hörte einige Gesprächsfetzen des Telefonats.

Sofort lief er zur Disponentin Stine Post, die er immer besuchte, wenn er ins Werk kam. „Hallo Fräulein Post", begrüßte er sie lautstark, sah sich mehrmals um und senkte, nachdem er sich vergewissert hatte, mit Stine Post allein im Raum zu sein, die Lautstärke seiner Stimme.

„Wenn Sie mir versprechen, ein Geheimnis zu bewahren, dann erzähle ich Ihnen, was ich eben im Büro vom Direktor Dotter gehört habe."

Stine Post säuselte: „Herr Stumpf, Sie wissen doch, dass ich schweigen kann wie ein Grab. Meine Zähne sind wie die Schallmauern von Jericho. Da kommt kein Ton durch, wenn ich es nicht will."

Dabei lächelte sie Erwin Stumpf derartig mit ihrem frechen Augenaufschlag an, dass dieser fast vergaß, was er erzählen wollte. Einen Augenblick hielt er inne und sah in die Augen seines heimlichen Schwarms. „Wenn ich alles richtig verstanden habe, hat mein Kollege, der Krebs, zwei oder drei Millionen unterschlagen, irgendjemand ein Kind angedreht und nun soll er gefeuert werden. Das hätten Sie wohl nicht gedacht, oder?"

Stine Post reagierte erstaunt und nachdenklich: „Der Krebs? Unser Krebs? Unterschlagen? Das traue ich dem zu. Ich habe mich schon oft gefragt, wie der denn seinen Sportwagen finanziert. Alles klar! Keine Angst, von mir erfährt kein Mensch etwas davon."

Stine Post spitzte die Lippen und führte ihren Zeigefinger an den Mund, während sich Erwin Stumpf mit einem gekünstelten Handkuss verabschiedete.

Kaum hatte er die Tür hinter sich geschlossen, griff Stine Post zum Telefonhörer: „Hallo Marion! Halt dich fest. Es gibt Neuigkeiten. Stell dir vor, der Krebs hat ein paar Millionen unterschlagen. Und er hat jemand ein Kind angedreht! Vielleicht der Frau vom Direktor. Da soll ja wohl schon länger was laufen. Und damit er ihr imponieren kann, hat er sich von dem Geld wahrscheinlich den Sportwagen gekauft. Aber so wie es aussieht, ist der Dotter dahintergekommen. Jetzt soll der Krebs abgeschossen werden."

Wie jeden Tag traf sich Marion Dratsch mittags in der Kantine mit Helmut Hartmann. „Helmut, Helmut, ich kann dir sagen. Was bei uns in der Firma alles so läuft. Aber du darfst niemanden verraten, dass ich dir das gesagt habe, was ich dir jetzt anvertraue. Es scheint, dass die Dotter schwanger ist. Und rate mal, von wem. Da kommst du nie drauf. Vom Krebs. Ich weiß es aus zuverlässiger Quelle. Der Krebs muss der Dotter ein Kind angedreht haben. Nun erpresst er sie wahrscheinlich, ein paar Millionen hat er schon gekriegt, damit sie ihn nicht beim Direktor verpfeift. Der glaubt ja wohl, es wäre sein Kind. Vielleicht war der

Sportwagen eine Art Anzahlung. Und ich vermute mal, dass der Dotter von irgendetwas Wind bekommen hat, jedenfalls wollte er den Krebs abschießen. Und dann hat der Krebs auch noch was unterschlagen."

Helmut Hartmann war ganz aufgeregt; schließlich hatte er mehrere Jahre mit Sascha Krebs zusammengearbeitet. Marion Dratschs Worte purzelten geradezu in seinem Gehirn herum. Sicher, ein Frauenheld war er schon, der Krebs, aber das war ganz schön heftig. Ihm blieb buchstäblich der Bissen im Hals stecken. So stocherte er noch einige Male mit der Gabel in seinem Auflauf und verabschiedete sich dann mit der Bemerkung, darauf schnell noch eine rauchen zu müssen.

Eigentlich wollte er erst noch einmal in Ruhe über das Gehörte nachdenken, aber als er das Raucherzimmer betrat, zog dort gerade seine Raucherfreundin Veronika Vichtique an ihrer Zigarette. Gleich vergaß er seinen Vorsatz, die Geschichte erst mal für sich zu behalten. Sein Mitteilungsdrang war stärker.

Wahrscheinlich war es ihm gar nicht bewusst, aber er verstand es wirklich meisterlich, jemanden auf die Folter zu spannen. So begann er das Gespräch gleich mit den Worten: „Schade, dass ich dir das nicht erzählen darf."

Veronika Vichtique war sofort hellhörig geworden: „Was darfst du mir nicht erzählen?"

Helmut Hartmann zog wortlos eine Packung Zigaretten aus seinem Sakko, holte eine heraus, zündete sie bedächtig an und genoss währenddessen, wie Veronika Vichtique ungeduldig an seinen Lippen hing. „Bitte, Veronika, du musst, hörst du, du musst mir versprechen, es für dich zu behalten."

Er spürte, dass seine Kollegin kurz davor war, vor Neugierde zu platzen. „Du kennst doch den Krebs."

Veronika Vichtique nickte heftig und Helmut Hartmann fuhr mit seinen Ausführungen fort: „Fast hätten wir ihn auf dem Friedhof besuchen dürfen."

Veronika Vichtique plapperte dazwischen: „Alles klar. Hat seinen Sportwagen zerlegt. Musste so kommen."

Helmut Hartmann schüttelte den Kopf: „Nahe dran, aber eben nur nahe. Der Krebs hat die Dotter geschwängert. Das ist schon schlimm genug. Was aber macht dieser Kerl? Erpresst sie auch noch. Wollte fünf oder sechs Millionen von ihr. Der Dotter kriegt das spitz und wahrscheinlich gerade als der Krebs in seinen Sportwagen einsteigt, will ihn der Alte abschießen. Der Krebs hat ihn gesehen, ist losgebraust, von der Straße abgekommen und hat sich überschlagen. Ich denke, dass der Wagen Schrott ist, aber soweit ich weiß, ist der Krebs kaum verletzt."

Veronika Vichtique spürte, wie überlegen ihr Kollege sich fühlte. Denn Wissen ist Macht. Ein solches Erfolgserlebnis wollte sie ihrem Kollegen keinesfalls gönnen. Obwohl auch sie die Neuigkeiten völlig aufgekratzt hatten, winkte sie mit gespielter Gelassenheit ab: „Ach so, das weiß ich doch längst. Anscheinend kennst du noch nicht den Rest der Geschichte. Tatsächlich hat die Kugel die Schulter vom Krebs durchschlagen, deshalb hat die Kontrolle über seinen Sportwagen verloren. Weit ist er nicht gekommen. Insgesamt hat er sich drei Mal überschlagen und sich dabei ziemlich schwer verletzt. Zusätzlich kriegt er jetzt auch noch eine Vaterschaftsklage und ein Verfahren wegen Veruntreuung an den Hals."

Helmut Hartmann stand der Mund offen. Aber Veronika Vichtique drückte entspannt ihre Zigarette aus und verließ das Raucherzimmer.

Enttäuscht darüber, wieder einmal nur die Hälfte gewusst zu haben, wollte er ebenfalls gehen, doch Peter Paul, der Verkaufsleiter, stellte sich ihm freudestrahlend in den Weg: „Mensch Hartmann, endlich geht es aufwärts! Kollege Krebs hat einen Zwei-Millionen-Auftrag an Land gezogen."

Helmut Hartmann entgegnete ungläubig: „Der Krebs? Ich denke, der ist verunglückt."

Paul lachte herzhaft. „Der Krebs? Nein, wie kommen Sie denn da drauf? Vor drei Minuten habe ich mit ihm telefoniert. Er ist bester Laune und kerngesund. Sie kennen doch diese Lady-Kind-Filialen in Kaufhäusern und Einkaufspassagen. Das ist ein großes Franchise-Unternehmen. Und der Zentrale von denen hat er für sage und schreibe zwei Millionen Euro drei Millionen runde, schwarze Schnürsenkel verkauft. Das muss ihm erst mal einer nachmachen."

Nachdenklich verließ Helmut Hartmann den Verkaufsleiter. War Krebs tatsächlich kein Bösewicht, war er gar ein Held?

Schließlich kam Hartmann zu dem Schluss, einem Gerücht aufgesessen zu sein. Doch steckt in solchen Gerüchten nicht immer ein Körnchen Wahrheit?

Spaß mit Wichteln

Ich konnte diesen Brauch noch nie leiden und war immer froh, dass er bislang an unserer Firma vorübergezogen war. Aber als der Alte neulich meinte, dass wir uns doch etwas einfallen lassen sollten, damit dieses Weihnachtsfest in der Firma ein besonders schönes würde, musste sich die vorlaute Gabi natürlich gleich melden: „Wie wäre es, wenn wir wichteln?"

In dem gleichen Moment, in dem ich zusammenzuckte, zog der Alte seine Augenbrauen hoch. Ich kannte ihn lange genug, um zu wissen, dass dies der Ausdruck seiner Neugierde war. Einer Neugierde, die nicht in Ärger über diesen Vorschlag münden würde, sondern in Zustimmung.

Ich war noch dabei zu überlegen, was ich als Gegenvorschlag in die Runde rufen sollte, um das Thema Wichteln vom Tisch zu bekommen, aber es war schon zu spät. „Ein guter Vorschlag, Frau Koschnak-Galler, ein sehr guter Vorschlag", kommentierte der Alte die dumme Idee.

„Bitte erläutern Sie doch mal, was Sie darunter verstehen", müssten eigentlich seine nächsten Worte sein, dachte ich mir. Ich arbeitete schon 24 Jahre beim Alten. Jeden Tag zehn Stunden – da kennt man nicht nur seinen Chef in- und auswendig, sondern auch seine Standardsprüche.

„Bitte erläutern Sie doch mal, was Sie darunter verstehen", fuhr der Alte fort. Gabi rutschte auf dem Stuhl hin und her, holte tief Luft, und ohne ein einziges Mal Atem zu holen, führte sie ihre Idee aus:

„Also beim Wichteln schreibt jeder seinen Namen auf einen Zettel und dann wird er in einen Hut geworfen und jeder muss einen Zettel herausziehen und dann muss man der Person deren Name auf dem Zettel steht etwas schenken wobei natürlich gilt dass man den gezogenen Zettel wieder zurücklegen muss falls man den eigenen Zettel gezogen hat und außerdem legen wir eine Summe fest wie teuer die einzelnen Geschenke sein dürfen damit nicht der eine versucht den anderen zu übertrumpfen und wenn Sie damit einverstanden sind nehme ich die Organisation selbst in die Hand."

Schon am nächsten Tag hatte Kollegin Gabi Zettel ausgeschrieben, sie in die Vase gelegt, die sonst immer herhalten musste, wenn es einen Geburtstagsstrauß gab, und lief nun herum, um jeden von uns einen Zettel ziehen zu lassen.

Für mich gab es zwei Zettel, die ich auf gar keinen Fall aus der Vase holen wollte: den, auf welchem Gabis Name stand, und den Zettel mit dem Namen vom Alten. Als Gabi sich vor meinem Schreibtisch aufbaute, griff ich zögerlich in die Vase, ließ ein, zwei Lose durch meine Finger gleiten und zog schließlich ein Stück Papier heraus. Behutsam klappte ich den gefalteten Zettel auseinander und schluckte. Auf dem Los stand der Name vom Alten.

„Na, hast du etwa den Alten gezogen", fragte Gabi neugierig mit einem triumphierenden Unterton. Ich zischte zurück, dass sie dies überhaupt nichts anginge und machte mich erst einmal auf den Weg in die Kantine.

„Im Prinzip ist es doch gar nicht so schlecht. Schließlich kenne ich den Alten schon so lange. Da ist es doch einfach, ein passendes Geschenk zu finden", machte ich mir Mut. Andererseits bot die Aufgabe durchaus einige Fallen. Ich überlegte: „Schenke ich ihm etwas Billiges, hält er mich für kleinlich. Gehe ich über die Preisgrenze hinaus, meint er vielleicht, dass ich zuviel verdiene. Nein, nein, ich muss genau unter der Grenze bleiben."

Ich vertagte das Problem erst einmal auf den Abend, um bei meiner Freundin Jutta Rat einzuholen. Am Abend rief ich sie von zu Hause aus an und schilderte ihr das Problem. Jutta überlegte einen Moment und meinte dann sinnierend: „Mmmh, wenn du ihm etwas Billiges schenkst, dann hält er dich für kleinlich. Gehst du aber über die Preisgrenze hinaus, meint er vielleicht, dass du zuviel verdienst. Ich glaube, du musst genau unter der Grenze bleiben. Aber du kennst doch deinen Chef schon so lange, da dürfte es doch kein Problem für dich sein, ein passendes Geschenk zu finden."

Ich bedankte mich für den wertvollen Rat und legte mich grübelnd ins Bett. Am nächsten Morgen, ich hatte kaum ein Auge zugemacht, zog ich mich für einen Einkaufsbummel an. Zum Glück war Samstag. Zeit war also kein Problem. Aber wohin sollte ich gehen? Was würde denn dem Alten gefallen? Welches Hobby hat er denn? Seit so vielen Jahren arbeitete ich beim Alten und jetzt musste ich feststellen, dass ich nicht einmal sein Hobby kannte. Unentschlossen machte ich mich auf den Weg zu „Schau-doch-mal-rein-Müller", einem klassischen Geschenkeladen, bei dem ich bestimmt fündig werden würde.

Dort angekommen, sah ich mich erst einmal um. Es gab T-Shirts mit allen möglichen geistreichen Sprüchen darauf, Aschenbecher in allen Formen und Größen, Flaschenöffner mit Metall-, Holz- oder Plastikbeschlag, einen Golfballfinder entdeckte ich – aber kein Geschenk, welches geeignet wäre, dem Alten eine Freude zu machen.

Als ich nachdenklich vor dem Regal stand, hörte ich hinter mir eine Stimme: „Kann ich Ihnen helfen?" Ich drehte mich um, sah in das Gesicht einer älteren Verkäuferin und erwiderte, dass ich ein Geschenk für meinen Chef suchen würde und dass es nicht mehr als 10 € kosten dürfe, weil es um Wichteln ginge. Die Verkäuferin nickte verständnisvoll. „Kenne ich. Kenne das Problem. Wenn Sie ihm etwas Billiges schenken, dann hält er Sie für kleinlich. Gehen Sie aber über die Preisgrenze hinaus, dann meint er vielleicht, dass Sie zuviel verdienen. Kennen Sie ihn denn schon länger? Spielt er Golf? Ich hätte da nämlich …“ Der Verzweiflung nahe bedankte ich mich und verließ den Laden.

Entmutigt ging ich nach Hause und ließ das Wochenende verstreichen. Missmutig saß ich am Montagfrüh am Schreibtisch. Kollege Wolfgang merkte natürlich gleich, dass mit mir etwas nicht stimmte und erkundigte sich.

Ich schüttete ihm mein Herz aus. Er hörte aufmerksam zu und rührte dabei in seinem Kaffee. Bevor er antwortete, nahm er einen Schluck aus der großen Tasse: „Mein lieber Mann, da hast du aber ein Problem. Ich selbst habe Gabi gezogen und hab beim Schau-doch-mal-rein-Müller auch schon etwas Originelles gefunden. Aber in deinem Fall?! Das Problem ist, dass er dich für kleinlich hält, wenn du ihm etwas Billiges schenkst. Gehst du aber über die Preisgrenze hinaus, wird er meinen, dass du zuviel verdienst. Mein lieber Mann, das ist ein Problem.“ Mit diesen Worten drehte er sich um und verschwand.

Ich war sauer. In der ganzen Firma gab es wohl niemanden, der mir einen wertvollen Rat geben konnte.

Die Tage vergingen.

Schließlich war der Freitagabend meine letzte Chance, ein Wichtelgeschenk zu besorgen. Die einzige Lösung, die mir einfiel, war der teure Laden „Exklusiv-Geschenke-Schulz“. Noch nie hatte ich in diesem Geschäft eingekauft, denn es machte angeblich seinem Ruf alle Ehre. Diesmal aber nahm ich allen Mut zusammen und trat ein.

Nach dem Verstummen eines sanften Geläutes kam ein junger Verkäufer auf mich zu, der sich mit näselnder Stimme nach meinem Wunsch erkundigte. Ich erzählte ihm von meinem Schicksal, und als ich fertig war, hob er wie zur Mahnung den Zeigefinger: „Gut, dass Sie zu uns gekommen sind. Gut, dass Sie zu uns gekommen sind. Wissen Sie, das Problem ist, dass Ihr Chef Sie bestimmt für kleinlich hält, wenn Sie ihm etwas Billiges schenken. Gehen Sie aber über die Preisgrenze hinaus, meint er eventuell, dass Sie zuviel verdienen."

Gerade war ich dabei, in Schluchzen auszubrechen, als der Verkäufer fortfuhr: „Ich habe hier etwas, welches Ihr Problem löst. Es liegt exakt im Preislimit, ist von bleibendem Wert und Ihr Vorgesetzter kann es auf jeden Fall gebrauchen." Triumphierend holte er eine Tasse aus einem Regal, auf der in goldener, verschnörkelter Schrift stand ‚Der Chef ist der Größte'.

Ich war nicht richtig überzeugt von dem Geschenk, aber der Verkäufer war schon dabei, die Tasse in hübsches Papier einzuschlagen, und als er eine große Schleife drum herum band, war ich zufrieden und konnte das erste Mal seit einer Woche wieder ruhig schlafen.

Am Nachmittag des 21. Dezembers trafen wir uns zum letzten Meeting des Jahres. Im Anschluss an das Meeting sollte unsere Weihnachtsfeier stattfinden.

Jeder von uns hatte vor sich ein Wichtelgeschenk aufgestellt. Alle anderen blickten erwartungsfroh und gut gelaunt in die Runde. Der Alte sah mich an und eröffnete unseren Termin mit den Worten: „Liebe Josefine, da wir beide schon solange zusammen arbeiten, habe ich mich ganz riesig gefreut, dass ich gerade Ihren Namen gezogen habe. Leicht war es aber nicht, etwas Passendes zu finden. Denn hätte ich etwas Billiges gekauft, hätten Sie mich wahrscheinlich für kleinlich gehalten. Hätte ich aber die Preisgrenze überschritten, dann hätten Sie vielleicht gemeint, dass wir zuviel verdienen. Also habe ich alle Geschäfte abgeklappert. Man kann sich ja nicht vorstellen, was es alles für dumme Sachen gibt. Beim Schau-doch-mal-rein-Müller hat man mir Tassen andrehen wollen, auf denen in goldener, verschnörkelter Schrift alle möglichen dummen Sprüche zu lesen waren. Abgesehen davon, dass ich die Tassen für absolut geschmacklos halte, hätte ich Ihnen drei davon schenken müssen, um an das Preislimit heranzukommen. Aber keine Angst – ich habe dann doch etwas sehr Schönes gefunden."

Ich hasse Gabi. Ich hasse Weihnachten. Und noch mehr hasse ich Wichteln.

Zeit für Verbesserungen

Es war Irmgard Rusch von der Personalabteilung, die den ersten Verbesserungsvorschlag beim Chef eingereicht hatte. *Vorschläge, die dem Wohle des Betriebes dienen, sollten institutionalisiert werden*, hatte sie in einem Dreizeiler angeregt. Weiterhin hatte sie ausgeführt, dass *Inhalt dieser Institutionalisierung die offizielle Registrierung und Realisierung der Vorschläge sowie die Anerkennung dieser in Form einer Prämierung* sein sollte.

Beim nächsten Managementmeeting ließ der Chef über den Vorschlag abstimmen. Nachdem er einstimmig angenommen worden war, musste nur noch geklärt werden, wer die Aufgabe übernehmen könnte, *die Institutionalisierung zu personalisieren.*

Der Leiter vom Rechnungswesen hatte spontan die Idee, einen Aushang zu machen und alle Mitarbeiter aufzufordern, Vorschläge zu machen, wer die Aufgabe „Verbesserungsvorschlagwesen" übernehmen könne. Als Anreiz solle eine zweistellige Prämie ausgeschrieben werden.

Nachdem der Beifall der Manager verklungen war, ließ der Chef verlauten, dass bereits diese Idee mit einer Prämie belohnt werden solle, allerdings erst nach Realisierung.

So kam es, dass am darauffolgenden Tag ein entsprechender Aufruf am Schwarzen Brett hing, der bei den Mitarbeitern große Beachtung fand, und nur einen Tag später ging ein Schreiben beim Chef ein. Fürchtegott Frodewig, bei den Kollegen wegen seiner Besserwisserei nicht sonderlich beliebt, hatte in seiner ihm eigenen Art einen Beitrag formuliert:

Bezugnehmend auf den Aushang am Schwarzen Brett, das Verbesserungsvorschlagwesen mit der Personalisierung zu institutionalisieren, rege ich hiermit an, einen Kasten am Schwarzen Brett zu installieren, um Mitarbeiter verstärkt zu motivieren, das Einreichen von Verbesserungen vorzunehmen.

Ich bitte um Prämierung nach Realisierung.

Der Chef, der eigentlich erwartet hatte, einen Namen genannt zu bekommen, überlegte kurz und erkannte, dass er beim Formulieren des Aushangtexts tatsächlich vergessen hatte, eine Adresse anzugeben. Obwohl auch der Chef kein Freund von Herrn Frodewig war, wies er deshalb seine Sekretärin an, eine kleine Prämie auszuzahlen. Außerdem ließ er neben dem Schwarzen Brett einen knallgelben Kasten anbringen, auf dem in roter Schrift zu lesen war: *Verbesserungsvorschläge.*

Bereits eine Woche später hatten sich viele Zettel in dem Kasten angesammelt. Auf den meisten der eingereichten Papiere stand außer dem Absender nur der Name der vorgeschlagenen Person. Doch keine dieser Personen war willens, die Aufgabe der Bearbeitung von Verbesserungsvorschlägen zu übernehmen. Einige Zettel dagegen waren anderen Inhaltes.

So hatte Irmgard Rusch die Idee, als Prämie gehäkelte Toilettenpapierhalter für das Auto einzusetzen. Sie wäre auch bereit, gegen entsprechendes Entgelt hundert Stück innerhalb von zwei Wochen zu liefern.

Buchhalter Konrad Mai wollte ein achtköpfiges Team gründen und ein Kickoff-Meeting auf Sylt veranstalten.

Max Schmal vom Marketing erklärte sich bereit, eine interne Werbekampagne für das Verbesserungsvorschlagswesen zu organisieren. Den Slogan hatte er bereits festgelegt: *Mensch, Kollege, sei doch schlau und mach noch heute den VV.*

Einzig und allein der Beitrag der Auszubildenden Sonja Groß fand die Zustimmung des Chefs. Sie hatte eine Kosten-Nutzen-Analyse gemacht und errechnet, dass die zu erwartenden Einsparungen die Kosten eines neuen Kopfes mehr als wett machen würden. In Windeseile wurde daher in der örtlichen Tageszeitung eine Stellenanzeige geschaltet, und schon drei Wochen später stellte sich der neue Referent für das interne Verbesserungsvorschlagswesen, kurz RIVV, der versammelten Mannschaft vor:

„Liebe Kolleginnen, liebe Kollegen, ich heiße Viktor Messer, bin 48 Jahre alt, war früher in einer karitativen Einrichtung tätig, habe dann mein Abitur nachgeholt und im vergangenen Monat das anschließende Psychologiestudium abgeschlossen. Mein Ziel ist es, dass ab sofort jeden Monat mindestens 50 Verbesserungsvorschläge realisiert werden. Wenn wir alle das Wohl unseres Unternehmens intensiv im Auge behalten und Sie mich bei meinen Initiativen unterstützen, werden wir dieses Ziel erreichen."

Viktor Messer war vom Persönlichkeitsprofil her nicht unbedingt für die Stelle geeignet, aber laut Irmgard Rusch war er der einzige Kandidat, der sich beworben hatte, obwohl die Stelle durchaus attraktiv beschrieben war. Was er bei seiner Antrittsrede verschwiegen hatte, war die Tatsache, dass er der Schwager von Irmgard Rusch war. Aber nichtsdestotrotz: Er war hoch motiviert, für alle das Beste zu erreichen.

Der erste Verbesserungsvorschlag, den Viktor Messer erhielt, bezog sich auf sein Türschild. *Wäre es größer, würde man das Referat besser finden, was wiederum die Zahl der eingehenden Beiträge deutlich erhöhen würde,* führte ein Kollege in epischer Breite aus, belegt mit Zitaten aus kommunikationswissenschaftlichen Untersuchungen.

Nun war Viktor Messer eigentlich ein eher bescheidener Mensch, dem es widerstrebte, jeden Morgen seinen Namen in riesigen Buchstaben auf einer Bürotür prangen zu sehen. Andererseits würde jeder realisierte Vorschlag die Erfolgsbilanz nach oben treiben, überlegte er. Und schließlich war ihm nach einigem Überlegen klar geworden, dass er sich bei seiner Vorstellung mit 50 realisierten Vorschlägen ganz schön weit aus dem Fenster gelehnt hatte. Also wies er die Buchhaltung an, eine Prämie auszuzahlen, beglückwünschte den Kollegen zu seinem Erfolg und heftete das Papier in seinem Ordner unter „Realisiert" ab, ohne auch nur im entferntesten daran zu denken, das Türschild zu ändern.

Der nächste Posteingang führte bei Viktor Messer bereits zu einer deutlichen Trübung seiner euphorischen Stimmung. Max Schmal, der Kollege vom Marketing, der bereits den Vorschlag für einen Slogan gemacht hatte, war wieder kreativ gewesen:

Würde Herr Messer seinen Namen modifizieren, könnten wir die Personal Relationship zwischen der Target Group „Mitarbeiter" und dem RIVV positivieren. Sicher wäre das eine Challenge für Herrn Messer, seinen Namen von Messer im Idealfall auf Besser zu ändern. Wir könnten dann in die Headline auf jedem RIVV-Communicationpaper quasi doppeldeutig den Slogan printen:

Gut! Besser! RIVV!

Bei Bedarf mache ich gerne ein Layout und eine Roadmap für das weitere Vorgehen.

Diesmal war Viktor Messer die Optik seiner Erfolgsbilanz egal. Er lehnte die vermeintliche Verbesserung rundum ab und teilte dies dem Einreicher auch in der gebührenden Form mit.

Das dritte Schreiben stimmte Viktor Messer wieder besser. Der Koch der Kantine war auf die Idee gekommen, *Formulare für das Einreichen von Verbesserungsvorschlägen zu machen*. Natürlich war ihm damit eine Prämie sicher.

Bei der nächsten Leerung des gelben Kastens fiel Viktor Messer ein ganzer Stapel von Zetteln, Disketten und CDs entgegen:

Es sei so schwierig, an das Formular heranzukommen, deshalb wäre es ratsam, ein Bestellformular für das Einreicher-Formular zu drucken.

Das RIVV wäre im Organisationsplan besser direkt neben der Geschäftsführung platziert, um die Bedeutung zu unterstreichen.

Neu im Angebot für die Prämierung wären nun neben der Toilettenpapierhalterung praktische Eierwärmer – gehäkelt und im Sechserpack.

Weil Rot so aggressiv macht, sollte der Schriftzug auf dem Verbesserungsvorschlagskasten in Froschgrün ausgeführt werden.

Die Zahl der Anregungen hatte ein unüberschaubares Ausmaß erreicht und Viktor Messer kam nicht umhin, beim Chef vorzusprechen, um ihn zu bitten, eine Sekretärin einzustellen. Den Personalbedarf begründete er mit einer eindrucksvollen Statistik. Innerhalb fünf Wochen waren 238 Vorschläge eingereicht worden, von denen 217 auch angenommen wurden.

Viktor Messer hütete sich im Gespräch mit seinem Chef davor, das Wort „Realisierung" in den Mund zu nehmen, denn längst hatte er nicht mehr verfolgen können, wie es mit den akzeptierten Ideen tatsächlich weiterging.

Zum Glück war der Chef guter Laune und sichtlich beeindruckt von der Erfolgsbilanz. Er willigte ein, machte aber zur Bedingung, zunächst intern nach einer geeigneten Person Ausschau zu halten. So kam es dann, dass Irmgard Rusch die rechte Hand ihres Schwagers wurde.

Ein halbes Jahr nach der Einführung des Referats dokumentierten 38 prall gefüllte Aktenordner, mit welchem Eifer die Mitarbeiter Vorschläge machten und Prämien sammelten. Längst musste auch das komplette private Kaffeekränzchen von Irmgard Rusch mithäkeln, um den Bedarf an Toilettenpapierhaltern und Eierwärmern decken zu können. Da Irmgard Rusch geschickt mit ihren Kaffeefreundinnen verhandelt und auf der anderen Seite bei der Einkaufsabteilung ihrer Firma einen recht ansehnlichen Preis erzielt hatte, hatte sie ihren alten Golf durch ein schickes neues Cabrio ersetzt.

Kurzum – das RIVV brummte und täglich landeten Dutzende von Beiträgen in den 20 Einreicherkästen, denn natürlich hatte es längst den Vorschlag gegeben, *die Zahl der Kästen deutlich zu erhöhen.*

Alles hätte weiterhin prächtig für Irmgard Rusch und Viktor Messer laufen können, hätte nicht die Auszubildende Sonja Groß ihren zweiten Beitrag eingereicht. Sie schlug darin vor, *mittels einer Kosten-Nutzen-Analyse zu überprüfen, inwieweit sich das RIVV rechnen würde.*

Unglücklicherweise hatte sie eine Kopie des ausgefüllten Formulars an den Chef geschickt. Beim Mittagessen beratschlagten Irmgard Rusch und Viktor Messer, welche Taktik sie einschlagen sollten, um die bedrohliche Situation abzuwenden. Den Vorschlag verschwinden zu lassen würde das Problem nicht lösen. Ihn als nicht realisierbar einzustufen war auch nicht geeignet, die bedrohliche Situation abzuwenden. Ihn aber zu prämieren, wäre erst recht verfänglich. Nach langem Hin und Her entschieden sich die beiden, den Vorschlag zunächst überhaupt nicht zu beachten und abzuwarten, was geschehen würde.

Tatsächlich vergingen einige Wochen, bis sich Sonja Groß meldete und nachfragte, wie es denn um die Beurteilung ihres Vorschlages stände. Sie hatte dies schriftlich gemacht und wiederum eine Kopie an den Chef gesandt. Irmgard Rusch und Victor Messer mussten handeln. Nachdem Irmgard Rusch mutmaßte, dass es der Auszubildenden nur um eine dicke Prämie ging, beschlossen beide, die Verbesserung offiziell anzunehmen und und sie mit einem Toilettenpapierhalter, einem 6er-Pack Eierwärmer und zwei gehäkelten Handy-Hüllen zu prämieren, außerdem noch mit 20 Euro aus dem kleinen Handetat für Sonderprämien.

Dass Irmgard Rusch die Lage völlig falsch eingeschätzt hatte, merkte sie, als sie im Posteingang eine Einladung zum Managermeeting vorfand. In dem Schriftstück hieß es, dass sie und Herr Messer Rechenschaft zum Stand der Kosten-Nutzen-Analyse ablegen sollten.

Irmgard Rusch war fassungslos. Sie war erledigt. Was hatte sie nicht noch alles vorgehabt. Eine Kooperation mit einer chinesischen Firma hatte sie geplant, um den Einkaufspreis der gehäkelten Prämien zu senken. Als Superprämie hatte sie gerade eine Weste mit dem Firmenzeichen entworfen. Und im Herbst wollte sie eine dreiwöchige Reise nach Bali an den eifrigsten Vorschlagseinreicher ausloben, den sie als Reisemanagerin begleitet hätte.

Viktor Messer musste ebenfalls erst einmal schlucken, als er die Einladung las. Noch war eine Woche Zeit zum Handeln. Doch trotz vieler schlafloser Nächte hatte er keine Idee, wie er seinen Kopf aus der Schlinge ziehen könnte. Als die Lage ausweglos erschien, kam ihm ein Zufall zur Hilfe. In den Toiletten wurden die WCs ausgetauscht. Viktor Messer, der seine Geschäfte immer in der Firma erledigte, um zu Hause Wasser und Toilettenpapier zu sparen, setzte sich auf eine der neuen Schüsseln und exakt in diesem Moment kam ihm der rettende Einfall.

Einen Tag später klopften er und Irmgard Rusch an die schwere Eichentür des großen Konferenzraums und nach dem „Herein" traten beide siegessicher vor die versammelten Manager.

„Sehr geehrte Herren", begann Viktor Messer seine Rede, „ich habe lange überlegt, ob ich Sie mit unzähligen Charts langweilen soll, deren Erfolgskurven letztlich doch alle nach oben zeigen, oder ob ich Ihnen lieber an einem eindrucksvollen Beispiel aufzeige, wie sich das Verbesserungsvorschlagswesen als roter – oder sprechen wir in diesem Falle besser von einem schwarzen – Faden durch die Erfolgsbilanz unseres Unternehmens zieht. Ich habe mich für eines von vielen Beispielen entschieden.

Vor sechs Wochen fasste sich der Kollege Helmut Kurz ein Herz und beschrieb einen Sachverhalt, der jeden von uns betrifft", – hier hüstelte Irmgard Rusch und Viktor Messer musste sich korrigieren –, „Entschuldigung, der zumindest die Männer unter uns betrifft. Nun, also das, was sich keiner bislang auszusprechen getraut hatte, das prangerte Herr Kurz an. Es geht um die Toilettenschüsseln. Jeder von Ihnen kennt das Problem, dass sie eigentlich zu kurz sind und dass man deshalb mit …" – nun räusperte sich Viktor Messer – „… dass man deshalb mit, äh, Sie wissen schon, dass man mit seinem, äh, Geschlechtsteil vorne anstößt."

Er machte erst einmal eine Pause und holte tief Luft. Dann blickte er in die Runde, sah gezielt den Leiter vom

Rechnungswesen an, der schon widersprechen wollte, dem aber gerade noch rechtzeitig eingefallen war, dass ein Widerspruch Rückschlüsse auf seinen Körperbau zugelassen hätte. Also nickte er heftig und auch die anderen Manager bejahten mit deutlichen Gesten, dieses Problem zu kennen.

Viktor Messer nutzte die Gunst des Augenblickes und fuhr fort: „Jeder von Ihnen weiß, dass es nicht nur ein ekeliges Gefühl ist, sondern in höchstem Maße auch gesundheitsgefährdend. Helmut Kurz hat deshalb angeregt, *die Toilettenschüsseln durch ein längeres Modell auszutauschen.*

Meine Herren, es gibt einen Schwachpunkt bei diesem Vorschlag. Frau Rusch und ich haben nicht exakt ausrechnen können, wie hoch der wirtschaftliche Nutzen ist. Aber wir haben mal folgende grobe Überschlagsrechnung gemacht: Wenn nur einer der siebenundsechzig leitenden Angestellten dieses Unternehmens für vier Wochen in einem Jahr ausfällt, weil er sich aufgrund des Kontaktes mit der Toilettenschüssel infiziert hat, muss das Unternehmen – und das ist eher konservativ geschätzt – mit durchschnittlich etwa 100.000 Euro Auftragsverlusten oder Produktionsfehlern rechnen. Nicht eingerechnet sind die Schmerzen des Betroffenen. Dem gegenüber stehen Kosten in Höhe von 80.000 Euro für den Austausch der Schüsseln. Das heißt, bereits in einem Jahr hat sich die Realisierung des Verbesserungsvorschlags amortisiert. Und, davon ganz abgesehen, waren die Toiletten nicht längst renovierungsbedürftig?"

Irmgard Rusch ergänzte: „Fairerweise möchte ich ergänzen, dass zu den Austauschkosten noch die Kosten für die Prämie kommen. Herr Kurz hat zwei Designer-Toilettenpapierhalter fürs Auto erhalten, zum Stückpreis von 120 Euro. Macht zusammen 240 Euro. Wir hatten zuerst an Eierwärmer gedacht, aber ich war dann der Meinung, dass sie in genau diesem Fall als Prämie nicht so passend gewesen wären.“

Kaum hatte Irmgard Rusch den Satz beendet, nickten die Manager wohlwollend und der Chef ergriff das Wort:

„Liebe Frau Rusch, lieber Herr Messer, wir danken Ihnen herzlich für Ihren Vortrag. Sie haben mich überzeugt. Gerade dieses Beispiel zeigt deutlich, wie richtig meine Entscheidung war, ein Referat für das Verbesserungsvorschlagswesen einzuführen. Bitte haben Sie Verständnis dafür, wenn ich Sie nun bitte, den Raum zu verlassen. Aber wir müssen noch vertrauliche Gespräche führen, denn seit einigen Monaten laufen uns die Kosten davon und wir haben die Ursache dafür noch nicht gefunden.“

Liebend gerne kamen die beiden der Aufforderung nach. Als sich die schwere Türe hinter ihnen geschlossen hatte, fragte Irmgard Rusch ihren Schwager: „Diesen Herrn Kurz kenne ich gar nicht. Wo arbeitet er denn?“

Viktor Messer zwinkerte ihr zu: „Den kannst du gar nicht kennen. Den gibt es nur auf Papier. Teilen wir uns die Prämie?“

Es war die letzte Zahlung, die das Paar auf seine Konten erhielt, denn vier Wochen später musste die Firma Konkurs anmelden.

So blieb der letzte Verbesserungsvorschlag unbearbeitet. Neben dem Vorschlag, die Zahl der Führungskräfte zu reduzieren, hatte Sonja Groß dringend empfohlen, dass RIVV aufzulösen.

Warum die Fusion zwischen Müller AG und Maier KG scheitern musste

„Frau Holzhausen-Grunzburger, verbinden Sie mich bitte mit Herrn Krumm von der Maier KG."

„Jawohl, Herr Dr. Pfauenkamm."

Bei der Maier KG klingelt das Telefon.

„Maier KG, Mühlbach, bestes Hunde- und Katzenfutter, Sekretariat des Vorstandsvorsitzenden Karl-Otto Krumm; Sie sind mit Frau Anita Frantaschek-Frohneisen verbunden."

„Guten Tag, hier ist das Sekretariat des Vorstandsvorsitzenden Dr. Paul-Hermann Pfauenkamm, Müller AG, Castrop-Rauxel, Sie sprechen mit Heike Holzhausen-Grunzburger. Liebe Frau Frantaschek-Frohneisen, unser Vorstandsvorsitzender, Herr Dr. Paul-Hermann Pfauenkamm, hätte gerne Ihren Herrn Krumm gesprochen. Wären Sie bitte so nett, das Gespräch zu Herrn Krumm hineinzustellen?"

Stille.

„Liebe Frau Frantaschek-Frohneisen, hätten Sie bitte die Freundlichkeit, das Gespräch zu Herrn Karl-Otto Krumm hineinzustellen?"

„Selbstverständlich liebend gerne, verehrte Frau Holzhausen-Grunzburger. Stellen Sie doch bitte zuvor schon einmal das Gespräch zu Herrn Dr. Pfauenkamm hinein."

„Hochverehrte Frau Frantaschek-Frohneisen, unser Vorstandsvorsitzender, Herr Dr. Paul-Hermann Pfauenkamm, hat das Anliegen, Ihren Herrn Krumm zu spechen. Dann sollte es doch selbstverständlich sein, dass Sie zuerst das Gespräch zu Ihrem Herrn Krumm hineinstellen, denn würde ich zuerst das Gespräch zu Herrn Dr. Pfauenkamm hineinstellen, müsste Herr Dr. Pfauenkamm am Telefon warten, bis Ihr Herr Krumm abhebt. Soviel Zeit hat unser Vorstandsvorsitzender, Herr Dr. Pfauenkamm, normalerweise nicht."

„Frau Holzhausen-Grunzburger, offensichtlich will Ihr Chef doch etwas von unserem Vorstandsvorsitzenden. Ich denke, aus diesem Grund ist es wiederum eine Selbstverständlichkeit, dass zunächst Sie das Gespräch auf das Telefon von Herrn Pfauenkamm legen."

„Herrn Dr. Pfauenkamm, meinen Sie wohl, Frau Frantaschek-Frohneisen. So viel Zeit muss sein."

„Von mir aus Dr. Pfauenkamm. Aber so wie es aussieht, scheint man bei Ihnen in Wirklichkeit eher zuviel Zeit zu haben. Deshalb halten wir es durchaus für angebracht, dass zunächst Ihr Dr. Pfauenkamm ans Telefon geht und dann wartet, bis unser Herr Krumm an seinem Apparat abhebt. Da bei uns in der Maier KG Zeit knapp und teuer ist, können Sie sich darauf verlassen, dass Herr Krumm den Anruf sofort annehmen wird."

„Frau Frantaschek-Frohneisen, meine Geduld ist langsam am Ende. Es kann doch nicht sein, dass … Moment, bleiben Sie dran, ich bin gleich wieder da … Natürlich, Herr Dr. Pfauenkamm, einen winzigen Augenblick noch. Ich werde Herrn Krumm gleich reinverbinden … Sind Sie noch dran, Frau Frantaschek-Frohneisen? Nun schalten Sie schon durch. Herr Dr. Pfauenkamm wird langsam ungeduldig."

„Passen Sie mal auf, liebe Holzhausen-Grunzburger, jetzt werde ich langsam ungeduldig. Hätten Sie gleich zu Ihrem Pfauenkamm verbunden, wären unsere Chefs doch längst fertig mit dem Telefonat."

„Frau Frontaschek-Frahneisen …"

„Frantaschek-Frohneisen!"

„Gut, Frantaschek-Frohneisen, von mir aus. Sie sind einfach unmöglich. Wo bleibt denn Ihr Wille zur Kooperation? So etwas habe ich noch nie erlebt."

„Ich glaub', ich spinne! Sie lassen wohl Ihre Kinderstube morgens zu Hause, wenn Sie ins Büro gehen. Vielleicht ist es Ihnen zu Kopf gestiegen, dass Sie in einem Vorstandssekretariat arbeiten! Wahrscheinlich ist Ihr Herr Pfauenkamm auch nicht besser. Ich werde diesen Anruf nicht vermitteln, ich nicht."

„Wenn Sie jetzt nicht augenblicklich das Gespräch reinstellen, werde ich mich persönlich bei Ihrem Krumm beschweren."

„Ein guter Witz, Grunzburger. Sie können ja mal versuchen, sich bei meinem Chef zu beschweren. Das dürfte aber schwer fallen, weil ich nämlich nicht reinstellen werde. Ätsch! An mir kommt hier niemand vorbei, wenn ich es nicht will. Da sind schon ganz andere gescheitert."

„Das ist die Höhe, eine Frechheit! Seien Sie froh, dass wir uns jetzt nicht persönlich gegenüberstehen, sonst würden Sie Ihr blaues Wunder erleben."

„Sie drohen mir? Sie drohen mir? Das schlägt dem Fass den Boden aus. Ich werde aus Ihnen … Warten Sie, bleiben Sie bloß dran, mein Chef ist an der anderen Leitung … Ach

Herr Krumm, Sie wollen diesen Herrn Dr. Pfauenkamm von der Müller AG sprechen? Darf ich Ihnen davon abraten? … Warum? … Glauben Sie mir, Herr Krumm, das Geschäftsgebaren dieser Firma ist untragbar … Ja klar, wenn ich es Ihnen doch sage! Gut, auf Wiederhören, Herr Krumm … So, jetzt bin ich bin wieder dran, wir haben schließlich noch ein Hühnchen miteinander zu rupfen. He! Hallo? Ach, jetzt hat sie aufgelegt. Blöde Schnepfe, denkt doch, sie wäre etwas Besseres."

Von diesem Tag an sprachen Herr Dr. Pfauenkamm und Herr Krumm nie mehr miteinander, weder im Golfklub noch bei den Rotariern.

Die Kunst des Kommerziellen

Schon seit langer Zeit war die Renovierung des Büros von Direktor Horatius Mähzehn überfällig gewesen. Doch erst nachdem er sich durchgerungen hatte, eine Woche Urlaub an einem Stück zu machen, hatte seine Sekretärin, Josefine Neus, den Auftrag an die Handwerker erteilt. Rechtzeitig vor der Rückkehr von Direktor Mähzehn waren tatsächlich auch alle Arbeiten beendet. Das einzige noch Unerledigte war ein winziger schwarzer Fleck an der Decke. Beim zweiten Anstrich hatte sich dort eine Fliege niedergelassen, war festgetrocknet, und beim Versuch, sie zu entfernen, hatte es der Malermeister Tausendwein nicht vermeiden können, diesen Fleck zu hinterlassen.

Doch da war noch etwas, was Direktor Mähzehn besonders am Herzen lag, aber noch nicht ausgeführt war. Er war ein Liebhaber der Kunst. Besonders der Malerei war er zugetan und Frau Neus hatte deshalb den Auftrag erhalten, sich nach einem entsprechenden Gemälde umzusehen.

Frau Neus war nicht gerade glücklich über diesen Auftrag, denn den Geschmack eines anderen zu treffen, ist bekanntermaßen ein Lotteriespiel. Sie wusste jedoch von der Vorliebe ihres Chefs für die Farbe Grün und als sie in einer Galerie das Gemälde „Rasen, von weitem betrachtet" erspäht hatte, entschied sie sich zum Kauf. Das Bild war eine einheitliche grüne Fläche und der Galerist hatte ihr den Sinn dahinter intensiv erläutert. Der Künstler würde Menschen mit Grashalmen vergleichen, die von Nahem durchaus als Individuen zu erkennen wären, aber aus der Distanz betrachtet zu einer Fläche verschmelzen. Frau Neus störte sich zwar noch ein bisschen an dem purpurfarbenen Rahmen, aber sie dachte sich, dass es taktisch vielleicht klug wäre, die Aufmerksamkeit ihres Chefs vom eigentlichen Gemälde wegzulenken. Wenn schon Diskussion, dann über den Rahmen.

Als Malermeister Tausendwein mit einem Farbeimer in der Hand am späten Freitagnachmittag das Büro betrat, lag also genau dieses Gemälde mit seinem purpurfarbenen Rahmen auf dem Schreibtisch von Direktor Mähzehn und wartete darauf, aufgehängt zu werden. Malermeister Tausendwein war zwar ein Künstler des Pinsels, doch mit moderner Kunst hatte er bisher wenig im Sinn. Und so fiel ihm auch nicht auf, dass er seinen Farbeimer auf ein sündhaft teures Gemälde gestellt hatte.

Neben dem Gemälde war noch Platz auf dem Schreibtisch. So stieg er kurzerhand auf den Stuhl und von dort auf die Tischplatte, denn die Leiter hatte er nicht mitgebracht. In dem Moment, als er nach oben zum Fleck sah, machte er einen kleinen unbedachten Schritt zur Seite und stieß den offenen Farbeimer um. Blitzschnell bückte er sich, stellte den Farbeimer wieder aufrecht und versuchte, mit einem Lappen die auf das Gemälde gelaufene weiße Farbe abzuwischen. Aber so sehr er sich auch mühte, mitten im Grün leuchtete ihm ein großer weißer Fleck entgegen mit bizarr auseinanderlaufenden Strahlen.

Nachdem Tausendwein eingesehen hatte, dass er das Unglück nicht rückgängig machen konnte, besserte er endlich den schwarzen Fleck an der Decke aus und schrieb auf den unteren Rand des Bildes „Entschuldigung! Malermeister

Tausendwein". Mit schlechtem Gewissen verließ er das Büro.

Montagmorgen traf Horatius Mähzehn schon lange vor seiner Sekretärin im Büro ein. Schließlich hatte er eine Woche lang keine Eingangspost gesichtet. Als er sein frisch renoviertes Büro betrat, fiel sein erster Blick auf das Gemälde auf dem Schreibtisch. Voller Entzücken hielt er es vor sich in Augenhöhe. „Nein", rief er laut, und genau in diesem Moment kam Josefine Neus hinzu, „nein, wer hat denn dieses Bild aufgetrieben?"

Zaghaft meldete sich Josefine Neus zu Wort, voller Angst, einen Tadel zu erhalten: „Es ist aus der Galerie Christou."

Mähzehn umarmte seine Sekretärin ungestüm. „Es ist fantastisch. Welch ein Ausdruck, welche Farben, welche Linienführung. Und dann der Name des Bildes. Einfach nur ‚Entschuldigung'. Mit wenigen Pinselstrichen hat der Künstler dargestellt, wie wir uns an der Natur vergreifen. Wie wir sie vergewaltigen und dabei immer noch so unschuldig tun. Das Bild ist eine Mahnung an uns, dass es an der Zeit ist, die Natur um Verzeihung zu bitten. Aber – ganz ehrlich, Frau Neus, von diesem Künstler habe ich noch nie gehört. Bitte bestellen Sie doch diesen Künstler, diesen Malermeister Tausendwein in mein Büro. Ich muss ihn unbedingt kennen lernen."

Josefine Neus hatte die Lage in Windeseile erfasst. Da sie jedoch hochzufrieden war, dass der unselige Arbeitsunfall den Geschmack ihres Chefs getroffen hatte, schwieg sie über den wahren Sachverhalt und rief, nachdem sie die Mappe mit der Eingangspost an ihren Chef übergeben hatte, beim Malermeister Tausendwein an. Obwohl Josefine Neus ihm den Sachverhalt grob schilderte, trug er sich den Termin nur äußerst ungern in seinen Kalender ein, denn was sich am

Montagmorgen im Büro von Direktor Mähzehn wirklich ereignet hatte, konnte er nicht so recht verstehen.

Einen Tag später klopfte er zaghaft an die Bürotür von Direktor Mähzehn. Mit allem hatte er gerechnet, nicht jedoch mit einem solchen Empfang. Der sonst so zurückhaltende Mähzehn stürmte auf ihn zu, drückte ihn an sich und sprudelte heraus: „Herr Tausendwein, Sie sind ein begnadeter Künstler! Ich bewundere Sie, Ihr Talent, Ihre ästhetische Kraft. Es ist mir eine Ehre, Sie hier empfangen zu dürfen, und eine noch größere Ehre ist es für mich, Ihr Gemälde in meinem Büro hängen zu sehen. Bitte erzählen Sie mir, wie Sie auf den Gedanken zu diesem Meisterwerk kamen.“

Malermeister Tausendwein war verwirrt und dachte in diesem Moment gar nicht mehr an sein Malheur. Stattdessen glaubte er, dass der Direktor den kleinen Austupfer an der Decke meinte. Er sammelte sich und erwiderte geschmeichelt: „Wissen Sie, ich mag die Natur. Aber manchmal macht sie einem einen Strich durch die Rechnung und dann kann eine kleine Fliege alles verderben. Letztlich bringt ein sanfter Tupfer aber wieder alles ins Gleichgewicht.“

Direktor Mähzen hielt den Malermeister mit ausgestreckten Armen an den Schultern, sah ihm tief in die Augen und schob ihn vor das Gemälde, welches inzwischen an der Wand hing.

„Meister“, begeisterte sich der Direktor, „Ihr Kunstwerk hat mich wahrlich tief beeindruckt. Diese Ausdruckskraft! Dieser Titel. Mit zwei Farben, mit nur einem Wort halten Sie unserer Gesellschaft einen Spiegel vor das Gesicht, welches zur Fratze entstellt ist von der Umweltverschmutzung.“

Malermeister Tausendwein war sicher nicht das, was man gemeinhin als „gerissen“ bezeichnen würde, aber jetzt hatte er verstanden, was dieser ganze Trubel bedeutete. Im Nu nahm er die Rolle des Künstlers ein. Er spürte, dass seine Chance gekommen war und schmeichelte nun seinerseits dem Direktor: „Die Kunst ist wie die Natur. Sie kann nur dort gedeihen, wo es Liebhaber gibt. Sie, mein hochverehrter Herr Direktor Mähzehn, Sie sind es, der den gewagten Balanceakt vollbringt. Sie balancieren zwischen Industrie und Natur. Für Sie ist die Kunst die Balancierstange, mit der Sie das Gleichgewicht halten. Ich als Künstler kann nur Ihr Sprachrohr sein. Es ist letztlich Ihre Entschuldigung, die ich zum Ausdruck gebracht habe. Doch es gibt zu wenige Industrielle, die so denken wie Sie. Ich fürchte, mit solchen einzelnen Kunstwerken ist der Natur nicht geholfen."

Horatius Mähzehn griff den letzten Satz sofort auf: „Meister, keine Angst. Wir werden Seite an Seite kämpfen. Wir können schon in zwei Wochen zu einer Vernissage einladen. Was halten Sie von unserer Fertigungshalle als Galerie? Ich lade alle meine Vereinskameraden vom Tiger-Club ein."

In der Tat stellte Malermeister Tausendwein vierzehn Tage später vor einem interessierten, vor allem aus Industriebossen bestehenden Publikum seine Kunstwerke vor.

Das erste Bild waren einige rote Farbkleckse auf einer weißen Leinwand. Sinnbildlich stünde es für den Mord an der unschuldigen Natur, was auch der Titel „Gemeuchelt" ausdrücken würde, so der Künstler über sein Werk.

Das zweite Gemälde mit dem verheißungsvollen Namen „Lehre der Leere" bestand nur aus einem Rahmen, denn Malermeister Tausendwein vertrat die Ansicht, dass von der Natur nicht mehr als das übrig bliebe, wenn der Mensch nicht zur Besinnung käme.

Bild Nummer Drei war eine gelbe, nach oben laufende Linie auf blauem Untergrund. Eigentlich hätte die Linie nach unten zeigen sollen, um den Niedergang der Menschheit zu symbolisieren. Aber irgendjemand hatte das Bild falsch herum aufgehängt, was für Tausendwein jedoch kein Problem darstellte, denn kurzerhand änderte er seine Interpretation des Kunstwerkes. Nun zeigte das Gemälde eben den Hoffnungsschimmer, den es bei rechtzeitiger Umkehr noch gab. Der Titel „Schicksalskurve" passte sowieso zu beiden Auslegungen.

Die Krönung war allerdings das vierte Gemälde. Auf einem ölverschmierten Untergrund, der die Industrie symbolisierte, hatte Tausendwein eine Kuh ihr Geschäft verrichten lassen, hatte das ganze in der Sonne trocknen lassen und diesem Happening den Titel „Ich scheiß' Euch was" verliehen. Unter den Besuchern entbrannte just um dieses Kunstwerk ein heftiger Streit, denn gleich fünf Industrielle wollten es unbedingt für einen mittleren fünfstelligen Betrag erwerben.

So kam es, dass eine kleine Fliege den Malermeister Tausendwein innerhalb weniger Monate zum Millionär machte, der von Talkshow zu Talkshow zog, mit seinen Bildern Kasse machte und sich dabei klammheimlich freute, dass es ihm gelungen war, aus Mist und Scheiße Gold zu machen.

Immobilien B-in-B

Es war der letzte Arbeitstag für Abteilungsleiter Josef Sebaldius, der fast fünfzig Jahre seinem Arbeitgeber, einem großen internationalen Konzern, treu geblieben war, nun jedoch endlich in den Ruhestand gehen wollte. Für sich selbst hatte er sich ein Abschiedsgeschenk ausgedacht, welches ein wenig ungewöhnlich, aber durchaus nachvollziehbar war, wenn man die Hintergründe kannte.

Gut gelaunt rief er seinen Mitarbeiter Kurt Klevermann ins Büro und überreichte ihm die schriftliche Kündigung mit den Worten:

„Sehr geehrter Herr Klevermann, jahrelang haben Sie an meinem Stuhl gesägt. Sie haben Intrigen gesponnen, um auf meinen Platz zu kommen. Ich habe es Ihnen nachgesehen.

Sie haben oft, da bin ich mir ganz sicher, blau gemacht. Auch das habe ich Ihnen nachgesehen.

Dass Sie jedoch seit einiger Zeit Geld unterschlagen haben, das hat das Fass zum Überlaufen gebracht. Mit dem Betriebsrat und der Personalabteilung habe ich aus diesem Grund abgesprochen, Ihnen heute Ihre Kündigung auszusprechen.

Da Sie so gut wie nichts geleistet haben, hinterlassen Sie auch keine Lücke, die ich mit einem neuen Mitarbeiter füllen muss. Zum Glück habe ich die ganze Aktion vor den anderen Kollegen geheim halten können, denn die Freude, Ihnen die Kündigung zu überreichen, wollte ich mir für meinen allerletzten Tag im Büro aufheben."

Josef Sebaldius holte tief Luft, atmete ebenso tief aus und verließ voller Genugtuung sein Büro. Zurück blieb ein Mitarbeiter, der mit diesem Schritt nicht gerechnet hatte.

Kurt Klevermann brauchte nicht sonderlich lange, bis er sich wieder gefangen hatte. Im Nu hatte er einen Plan. Keiner der Kollegen wusste von der Kündigung, ein Nachfolger war nicht vorgesehen, also erschien Klevermann am nächsten Morgen wie gewohnt zur Arbeit.

Als erstes fuhr er seinen Computer hoch und entwarf einen Briefbogen für die Firma „Klevermann Immobilien B-in-B". Sein Plan war einfach, aber genial: Wie gewohnt, würde er auch künftig jeden Tag an seinem Arbeitsplatz erscheinen. Statt jedoch für den Konzern zu arbeiten, würde er seine eigene Firma betreiben. Raum- oder Telefonkosten, all das, was man normalerweise als Selbstständiger aus eigener Tasche berappen muss, all das würde künftig freundlicherweise der Konzern für ihn bezahlen. Selbst die hohen Aufwendungen für die Inserate im Immobilienteil der Tageszeitung könnte er auf den Konzern abwälzen. „B-in-B" stand für „Business-in-Business", für „Betrieb-in-Betrieb" – aber das wusste natürlich niemand außer Klevermann selbst.

Schon zwei Wochen später florierte Klevermanns Geschäft. Den ganzen Tag saß er am Telefon, rief Wohnungssuchende an, empfing Anrufe von Hausbesitzern, verwaltete die Angebote über seinen PC und studierte den Immobilienteil in der Tageszeitung, die er natürlich ebenfalls auf Konzernkosten abonniert hatte.

Mittags ging Klevermann wie gewöhnlich mit seinen Kollegen essen, denen nicht auffiel, dass Klevermann eine Firma in der Firma gegründet hatte, denn stundenlanges Telefonieren war seit jeher Klevermanns Haupttätigkeit gewesen. In den Gesprächen am Mittagstisch hielt sich Klevermann auf dem Laufenden und bekam sogar manche Information über neue Mitarbeiter, die auf Wohnungssuche waren.

Klevermann war zufrieden. Sein Geschäft lief wirklich gut. Bei Vermietungen kassierte er die üblichen zwei Monatsmieten Provision, bei Verkäufen 3%, und so verdiente er sogar mehr als zuvor. Doch er merkte, dass er all die Vorgänge über kurz oder lang nicht mehr alleine in den Griff bekommen würde. Einen Ausweg hatte Klevermann allerdings schon parat. Die Abteilungssekretärin Elfriede Halt galt bei allen Kollegen als zuverlässig, doch auch als reichlich naiv. Man sagte ihr nach, dass sie es lediglich durch Beziehungen geschafft hatte, in diese Position zu kommen. Klevermann rechnete sich aus, dass er ihr nur kräftig einen Bären aufbinden müsse, um sie für seine Zwecke einspannen zu können.

Gedacht, getan. Fortan erledigte Frau Halt die Schreibarbeiten für Klevermann. Er ließ sich die Briefe auf Diskette geben, übernahm die Datei auf seinen Computer und änderte den Briefkopf von der Konzernanschrift auf die Adresse seiner Firma. Nun konnte er sein Geschäft richtig ausweiten, denn durch die Delegation der Routinearbeiten sparte er eine Menge Zeit.

Klevermann fühlte sich sicher und genoss seinen Erfolg. Frau Halt arbeitete ihm fleißig zu, stellte keine Fragen und sie schien Klevermann zu glauben, dass er ausschließlich die Wohnungsvermittlung für neue Mitarbeiter steuerte. Doch eines Tages verwickelte Elfriede Halt ihren Kollegen in ein Gespräch: „Na, wie läuft denn Ihr Geschäft mit den Immobilien?"

Verblüfft und um Zeit zu gewinnen antwortete Klevermann: „Wie meinen Sie das? Sie meinen, wie die Wohnungsvermittlung für neue Mitarbeiter läuft?"

Elfriede Halt hakte schnippisch nach: „Sie wissen doch genau, von was ich rede. Für wie dumm halten Sie mich denn?"

Klevermann wurde unsicher: „Liebe Frau Halt, Sie werden mich doch wohl nicht verraten! Ich bitte Sie, ich habe eine Familie zu ernähren. Wenn ich aus der Firma fliege …"

„ … dann nützen Sie mir nichts", fiel ihm Elfriede Halt ins Wort. „Ich denke wir sollten teilen. Was halten Sie von 40 zu 60?"

Klevermann überlegte: „Meinen Sie nicht, dass 40% von meinem Gewinn ein bisschen viel sind?"

Frau Halt lachte kurz: „Nein, nein, mein Guter. Sie haben mich falsch verstanden. Sie bekommen 40 und ich 60%. Und wenn Sie nicht einverstanden sind, lasse ich Sie auffliegen. Beweise habe ich genug. Am besten, Sie denken gar nicht erst darüber nach! Übrigens muss ich jetzt gleich zu Herrn Raffke. Er weigert sich doch tatsächlich, weiterhin seine 70% zu bezahlen. Unverschämt, nicht wahr?"

Wohl oder übel beugte sich Kurt Klevermann seinem Schicksal. Elfriede Halt war seine Zukunft, und er war von nun an einer der sieben inoffiziellen Mitarbeiter der Halt Immobilien und Luxusgüter Holding Gmbh&Co KG.

Der Spesenritter

„Ich sage euch frei heraus, wo der Haken an der Geschichte liegt: Der Donnerstag, von dem hier die Rede ist, ist der Vatertag, und ein verlängertes freies Wochenende mit Brückentag ist somit nicht möglich. Bei dieser Messe in Düsseldorf müssen wir jedoch unbedingt mit einem Stand vertreten sein. Wer also meldet sich freiwillig zum Standdienst?"

Nach dieser Rede des Chefs drehten alle Kollegen ihren Kopf in Richtung Rolf Zentfuchser, der sich sofort vehement wehrte: „Nicht schon wieder ich. Immer soll ich der Doofe sein. Ich habe keine Lust, mich am Donnerstag in die Bahn zu setzen, wenn die ganzen betrunkenen Väter im Zug randalieren."

Der Chef versuchte, Rolf Zentfuchser zu überreden: „Wenn Sie den Einsatz übernehmen würden, wäre ich Ihnen sehr dankbar. Gerade Sie, lieber Herr Zentfuchser, schätze ich für einen solchen Einsatz als besonders geeignet ein. Sie wissen, wie man mit den Kunden redet, sind höflich, aber auch gerissen."

Rolf Zentfuchser rutschte auf seinem Stuhl hin und her: „Meine Frau hatte sich schon so auf ein langes Wochenende mit mir gefreut. Außerdem will ich nicht mit diesen betrunkenen Horden in einem Zug fahren müssen. Ich bin nur unter einer Bedingung bereit, in den sauren Apfel zu beißen. Ich will mit meinem Auto fahren und nach Kilometern abrechnen."

Der Chef war froh, jemanden gefunden zu haben, und willigte sofort ein. Und die anderen Kollegen waren erleichtert, dass sich Rolf Zentfuchser wieder einmal hatte breitschlagen lassen. Insgeheim verachteten sie ihn sogar ein wenig für seine Nachgiebigkeit.

Gut gelaunt kam Rolf Zentfuchser an diesem Abend nach Hause. Seiner Frau gab er einen Kuss zur Begrüßung und erzählte ihr sofort: „Schatzilein, ich habe eine gute Nachricht für dich. Ich darf am Vatertag zur Ausstellung nach Düsseldorf. Ist das nicht toll?"

Seine Frau jubelte: „Das ganze, lange Wochenende? Das ist ja großartig. Komm, lass uns gleich mal nachrechnen."

Rolf Zentfuchser holte den Taschenrechner heraus und setzte sich mit seiner Frau an den Wohnzimmertisch. „Fangen wir mal bei den Fahrtkosten an. Ich habe durchdrücken können, dass ich mit dem eigenen Auto fahren darf und nach Kilometern abrechne. Nach Düsseldorf sind es hin und zurück 280 km. Da schlagen wir noch was drauf, sagen wir mal 30 km. Per Anhalter werde ich am Vatertag nicht nach Düsseldorf kommen. Das bedeutet, wir müssen die Mitfahrpauschale gegenrechnen. In der Firma habe ich schon im Internet nachgesehen. Es ist noch ein Platz frei. Lass mich mal eintippen. 310 km mal Kilometerpauschale minus Mitfahrgebühr – bleiben unterm Strich 120 Euro."

Gabi Zentfuchser nickte wohlwollend: „Das hört sich schon mal gar nicht so schlecht an. Machen wir mit den Übernachtungskosten weiter?"

Rolf Zentfuchser stimmte zu: „Ja, machen wir erst mal die Übernachtungen. Mmh, Verwandte oder Bekannte, bei denen ich übernachten könnte, haben wir leider nicht in Düsseldorf."

„Und wie wäre es mit zelten?"

„Das könnte noch ganz schön kalt werden. Außerdem sind die Gebühren auch nicht gerade billig. Mmh. Was hältst du davon, wenn ich bei Tante Klara in Köln übernachte? Ich denke, mit der Bahn von Köln nach Düsseldorf dürfte es nicht so teuer sein. Gehe doch mal ins Internet und schaue nach, was das kostet."

Gabi Zentfuchser nahm die Tastatur und begann mit der Recherche. „Hast Du schon eine Idee, wie es mit der Gegenrechnung aussieht?" erkundigte sie sich währenddessen bei ihrem Mann.

„Eine getürkte Hotelrechnung wäre nicht übel, aber ich muss diesmal ein wenig vorsichtig sein. Bei der letzten Reise gab es eine kleine Unstimmigkeit. Die Buchhaltung hat deswegen im Hotel angerufen und die haben natürlich nichts von meiner Übernachtung gewusst. Deshalb will ich nicht wieder eine Rechnung türken. Ich werde nach Übernachtungspauschale abrechnen. Hast Du die Fahrtkosten Köln – Düsseldorf?"

Gabi Zentfuchser drehte ihrem Mann den Monitor zu. „Da schau, ist tatsächlich gar nicht so teuer. Die Übernachtungspauschale minus die Fahrtkosten macht pro Übernachtung 15 Euro. Bei drei Übernachtungen sind das 45 Euro. Schade, mit Hotelrechnung könnten das locker 150 Euro sein. Aber Du hast recht. Wir sollten den Bogen nicht überspannen."

„Wir haben ja noch die Verpflegungspauschalen. Ich nehme natürlich alles mit, was ich zum Essen und Trinken brauche. Es kommen demzufolge noch einmal 60 Euro hinzu."

„Dann wären wir bei 225 Euro. Für so ein langes Wochenende ist mir das eigentlich ein bisschen wenig."

Rolf Zentfuchser war der gleichen Meinung: „Da muss schon mehr herausspringen. Lass uns überlegen, wo wir noch etwas tun können. Ich brauche einen Ausstellerausweis. Wenn ich den Türsteher schmiere, müsste ich unterm Strich 30 Euro rausschlagen können. Nach der Ausstellung lasse ich mir dann von irgendeinem anderen Aussteller den Ausweis geben. Das dürfte kein Problem sein."

„Parkgebühr!" rief Gabi Zentfuchser plötzlich.

Ihr Mann war begeistert. „Du hast recht. Das sind 10 Euro pro Tag. Gabi, da fällt mir ein: Wenn ich bei der Tante in Köln übernachte, dann mache ich natürlich auch die täglichen Fahrten mit dem Auto von Köln nach Düsseldorf geltend. Da wird keiner in der Firma etwas dagegen sagen, weil ich immer noch deutlich unter den offiziellen Hotelkosten liege. Da kommen 60 Euro zusammen."

„Sieben Euro Fünfzig könnten wir noch mit der Reinigungsmasche einheimsen. Ein Kunde bekleckert deinen Anzug mit Kaffee. Du kannst das dem guten Kunden natürlich nicht in Rechnung stellen, also zahlt die Firma die Reinigung."

„Genial", Rolf Zentfuchser klatschte in die Hände, „eine gute Idee. Und wie wäre es, wenn ich einer Kundin einen Blumenstrauß schenke? Ich lasse mir dazu eine gute Geschichte einfallen. Eine Quittung können wir auf dem Computer in fünf Minuten erstellen. Übertreiben werde ich nicht. Ich denke, 15 Euro sind in Ordnung. Da fällt mir ein, dass ich dem Chef gesagt habe, Du wärest böse, weil Du Dich auf ein langes Wochenende mit mir gefreut hättest. Der Chef hat ein schlechtes Gewissen und wenn ich ihm sage, dass ich Dir einen Strauß schenken musste um Dich zu besänftigen, wird er nichts dagegen haben."

Gabi Zentfuchser tippte die Zahlen in den Taschenrechner. „Schatz, jetzt sieht es schon viel besser aus. Ich habe gestern im Netz gesurft. Mit dem Geld, das Du für die Reise nach Düsseldorf bekommst, ist eine Woche Mallorca drin. Wir fliegen mit der Billiglinie. Im Hotel nimmst Du ein Einzelzimmer und ich quartiere mich heimlich ein. Ich habe herausgefunden, dass drei neue Lokale eingeweiht werden. Wir können also mindestens dreimal kostenlos essen."

Rolf Zentfuchser war zufrieden. „Am meisten freut mich dabei, dass mich meine Kollegen bedauern. Lassen wir sie ruhig den Vatertag genießen, wir machen uns anschließend eine schöne Woche. Und für die Finanzierung unserer dreiwöchigen Karibikreise im Herbst habe ich auch schon eine Idee. In den USA läuft zur Zeit ein Projekt. Oder besser gesagt: Es läuft nicht. Eine unangenehme Sache. Deshalb traut sich kein Kollege, rüberzufliegen. Was meinst Du, wer sich für diesen Einsatz melden wird?"

Gabi Zentfuchser streichelte ihren Taschenrechner.

Der Scherzbold

Anton Anders klopfte zaghaft an die Tür des Chefs. „Ich soll mich bei Ihnen melden", sagte er leise beim Eintreten. Der Chef blickte kurz von seinem Schreibtisch auf und entgegnete: „Wie kommen Sie denn darauf, Herr Anders? Bei mir liegt nichts an."

Mit hochrotem Kopf entschuldigte sich Anton Anders mehrmals, und während er sich zurückzog überlegte er sich, wer ihn wohl in diese peinliche Situation gebracht haben könnte. Lange musste er nicht nachdenken um zu dem Schluss zu kommen, dass nur einer in Frage kam: Richard Schalm, der Onkel des Azubi Jens Schalg. Im Nachhinein war ihm auf einmal völlig klar, dass die Handschrift auf dem Zettel, den er auf seinem Schreibtisch vorgefunden hatte, von diesem Kollegen sein musste. Wieder einmal ärgerte er sich, auf ihn hereingefallen zu sein.

Beim Kopierer traf Anton Anders auf Brigitte Häusler, eine nette Kollegin vom Nachbarbüro. Er klagte ihr sein Leid, und als er sein Herz ausgeschüttet hatte, versuchte Brigitte Häusler ihn zu trösten: „Ach, Herr Anders, es ist wirklich schlimm mit dem Schalm. Sie glauben nicht, was ich schon alles mit diesem Möchtegern-Scherzbold erlebt habe. In der vergangenen Woche hat er mir die Klappe vom Locher gelockert. Als ich das Ding in die Hand nehme, fällt mir das ganze Konfetti heraus. Der Schreibtisch, der Boden – alles voll mit den Papierschnipseln."

Brigitte Häusler wollte noch weitererzählen, als Klaus Kolbe den Kopiererraum betrat. Klaus Kolbe war ein etwas impulsiver, aber durchaus sympathischer Kollege, der die Vorfertigung leitete. Er fiel seiner Kollegin ins Wort: „Da ist doch bestimmt vom Schalm die Rede, oder? Mit dem hab ich auch noch ein Hühnchen zu rupfen. Will heute meine Suppe nachsalzen, packe den Salzstreuer, schüttel ihn über meiner Suppe. Geht der Deckel ab und das ganze Salz in meine Suppe. Möchte dem Kerl auch mal die Suppe versalzen."

Mit dem Wissen, dass es anderen Kolleginnen und Kollegen nicht besser ging als ihm, fühlte sich Anton Anders schon wohler. „Vielleicht müsste man dem Schalm einmal einen ordentlichen Denkzettel verpassen", sinnierte er und sowohl Brigitte Häusler als auch Klaus Kolbe pflichteten ihm bei. Die drei beschlossen, gemeinsam einen Plan auszuhecken.

Am nächsten Morgen telefonierte Anton Anders mit Brigitte Häusler. „Hallo Frau Häusler, mir ist gestern abend eine Idee gekommen, wie wir dem Schalm einen Streich spielen können."

Da Anton Anders mit dem Rücken zur stets offenen Tür saß, konnte er nicht bemerken, dass gerade in diesem Moment Richard Schalm vorbeiging. Er war auf dem Weg zu Klaus Kolbe, der um ein kurzes Gespräch gebeten hatte. Als Schalm seinen Namen hörte, blieb er wie angewurzelt stehen. Vorsichtig stellte er sich neben den Türstock und belauschte das Telefonat.

„Meine Idee ist folgende: Wenn Sie vor der nächsten Bereichskonferenz die Unterlagen für unseren Vorstand vorbereiten, gehen Sie mit zwei Kuverts in den Kopierraum. In dem einen sind Kochrezepte, in dem anderen ist das Protokoll der letzten Sitzung. Sie müssen einen Moment erwischen, in dem der Schalm gerade kopiert. Sie gehen also zum Kopierer und tun so, als ob Sie das Protokoll vervielfältigen wollten. In diesem Moment komme ich angerannt und richte Ihnen aus, dass Sie ganz schnell ans Telefon müssen, weil etwas mit Ihrer Tochter passiert ist. Daraufhin sind Sie ganz aufgeregt und bitten den Schalm, den Inhalt des Kuverts zu kopieren, in die Mappe zu legen, in die Sitzung mitzunehmen und dem Vorstand zu übergeben. Sie weisen ihn ausdrücklich darauf hin, dass er nicht die Kuverts verwechseln darf und er das zweite Kuvert auf jeden Fall liegen lassen soll. Jede Wette, dass der Schalm der Verlockung nicht widerstehen wird. Er wird den Inhalt des zweiten Kuverts, in dem sich die Rezepte befinden, kopieren und die Papiere dem Vorstand in der Mappe aushändigen. Ich allerdings werde zuvor beim Vorstand beiläufig erwähnen, dass der Schalm die Mappe zusammengestellt hat und dann ist er dieses Mal der Blamierte."

Noch bevor Anton Anders den Telefonhörer aufgelegt hatte, schlich Richard Schalm auf Zehenspitzen davon. Getrost konnte er die Dinge auf sich zukommen lassen.

Am Tag der Bereichssitzung vermied Richard Schalm zunächst, den Kopiererraum zu betreten. Er genoss es, Brigitte Häusler und Anton Anders zappeln zu lassen, denn viel Zeit blieb nicht, um den Streich durchzuführen. Erst wenige Minuten vor dem Beginn der Sitzung klemmte sich Richard Schalm einige Rundschreiben unter den Arm und machte sich auf den Weg zum Kopierer. Als er am Schreibtisch von Brigitte Häusler vorbeikam, murmelte er halblaut vor sich hin, dass er hoffe, nicht schon wieder Papier auffüllen zu müssen wie beim letzten Mal.

Diese Worte waren das Startsignal für Brigitte Häusler. Sie schnappte sich die zwei Umschläge und folgte ihrem Kollegen in den Kopiererraum. Richard Schalm ließ sich Zeit mit dem Kopieren. Er musterte Brigitte Häusler von oben bis unten und fragte scheinheilig, ob sie denn viel zu kopieren hätte. Ihre Antwort, es sei zwar nicht viel, aber dringend, kommentierte er mit den Worten, dass er ja eh gleich fertig sei. Natürlich war ihm nicht entgangen, dass Brigitte Häusler ungewohnt nervös war. Ihm wäre das in einer solchen Situation nicht passiert.

Als Richard Schalm nach endlos langer Zeit die Papierausgabe leerte, stürzte Anton Anders aufgeregt in den Raum. Ganz außer Atem hechelte er: „Da sind Sie ja, Frau Häusler! Ich suche Sie schon überall. Sie müssen schnell ans Telefon. Irgendwas ist mit Ihrer Tochter passiert."

Brigitte Häusler war eine schlechte Schauspielerin und so wäre einem aufmerksamen Betrachter bestimmt aufgefallen, dass die folgende Reaktion nur gespielt war. Doch Richard Schalm wusste ja ohnehin Bescheid und amüsierte sich innerlich köstlich über die vorgespielte Szene: „Ach du lieber Gott! Lieber Herr Schalm, können Sie mir helfen? Ich muss los, habe aber noch das Protokoll für die Bereichssitzung zu kopieren. Könnten Sie das für mich erledigen?"

Richard Schalm ließ sich die Chance nicht entgehen, seine Kollegin zappeln zu lassen, und antwortete: „Liebe Frau Häusler, wie Sie sicher schon bemerkt haben, bin ich selbst in Eile. Lassen Sie die Unterlagen doch einfach liegen. Sie sind bestimmt gleich wieder zurück." Dann machte er eine kurze Pause. „Oder vielleicht kann ja auch der Kollege Anders das Kopieren übernehmen."

Dabei sah er Anton Anders tief in die Augen und spürte instinktiv, dass er den Kollegen völlig überrascht hatte.

Anton Anders begann zu stammeln, dass er Frau Häusler doch in dieser Situation unmöglich alleine lassen könne.

Brigitte Häusler sah ihn dankbar an und ergänzte: „Das wäre wirklich nett, wenn Sie mich begleiten können. Ich glaube nicht, dass ich jetzt mit dem Auto fahren könnte, falls ich dringend nach Hause müsste."

Hastig wiederholte sie ihre Bitte: „Bitte, Herr Schalm, ich flehe Sie an, helfen Sie mir. Sie müssen nur den Inhalt dieses Kuverts kopieren, die Kopien in die Mappe legen und dem Vorstand überreichen. Das andere Kuvert können Sie liegen lassen. Das hat mir der Sitzung nichts zu tun. Ist das klar? Das andere Kuvert nicht beachten."

Richard Schalm gab gönnerhaft nach: „Ich will mal nicht so sein. Gehen Sie schon endlich zum Telefon; ich kümmere mich um den Rest."

Einen Moment wartete er, bis Anton Anders und Brigitte Häusler verschwunden waren. Dann warf er einen Blick in das zweite Kuvert. Wie erwartet lagen darin Kochrezepte. Er legte sie beiseite, entnahm dem anderen Umschlag das Protokoll und schob es in den Einzug des Kopierers. Das Surren und Rattern des Geräts war Musik in seinen Ohren. „Wenn Ihr glaubt, Ihr könnt mich hereinlegen, seid Ihr auf dem Holzweg", dachte Richard Schalm zufrieden. Er nahm die noch warmen Kopien aus dem Gerät, legte sie in die Mappe und machte sich fröhlich auf den Weg zur Bereichssitzung.

Dort angekommen, übergab er die Unterlagen an den Vorstand und betonte dabei, dass er sie persönlich vorbereitet hätte. Anschließend nahm er gegenüber Anton Anders Platz, denn groß war die Vorfreude, das Gesicht des Widersachers sehen zu können, wenn der Vorstand nicht die Kochrezepte, sondern das Protokoll in der Mappe finden würde.

Nach der üblichen fünfminütigen Wartezeit begrüßte der Vorstand die Anwesenden wie jedes Mal: „Sehr geehrte Damen und Herren, ich freue mich, dass heute wieder alle Eingeladenen vollständig erschienen sind. Kommen wir gleich zum ersten Punkt der Tagesordnung. Wie immer lese ich zur Erinnerung das Protokoll der letzten Sitzung vor."

Er klappte die Mappe auf, warf einen kurzen Blick hinein, holte Luft und fing an vorzulesen: „Protokoll vom Freitag, 5. Mai. Fehlende Teilnehmer: keine. Erster Punkt der Tagesordnung: Verlesung des Protokolls vom 3. April. Zweiter Punkt der Tagesordnung: Einstimmiger Beschluss, dass der Vorstand ein Esel ist."

Die Zunge war schneller gewesen als die grauen Zellen, und so merkte er zu spät, was er gerade vorgelesen hatte. Schallendes Gelächter erfüllte den Raum. Richard Schalm dagegen blieb das Lachen im Halse stecken. Am liebsten wäre er im Erdboden versunken. Er klammerte sich an seinen Stuhl und registrierte kaum, dass der Vorstand ihm kühl erklärte, dass er sich nach der Sitzung in dessen Büro einfinden solle.

Als wieder Ruhe eingekehrt war hatte der Vorstand längst seine Fassung wieder gefunden. Er meisterte die Situation elegant mit der Bemerkung: „Ich wollte nur mal testen, ob Sie denn alle aufmerksam bei der Sache sind. Manchmal habe ich nämlich nicht den Eindruck."

Richard Schalm war klar, dass der Vorstand innerlich kochte. Noch nie war ihm die Sitzung so lange vorgekommen. Hinzu kam, dass ihm Anton Anders und Klaus Kolbe die ganze Zeit über zulächelten. Als am Ende der Sitzung alle Teilnehmer mit lautem Stühlerücken aufstanden und den Raum verließen, standen ihm die beiden Spalier. Klaus Kolbe flüsterte ihm dabei zu: „Viel Spaß beim Vorstand. So ist das eben – wer anderen einen Grube gräbt ..." Und Anton Anders säuselte: „Kleiner Tipp noch, Herr Kollege. Fremde Telefongespräche belauscht man nicht. Auch nicht heimlich, und besser auch dann nicht, wenn sie in Wirklichkeit für einen bestimmt sind."

Seit diesem Tag ist Richard Schalm völlig verändert. Für jeden gilt er als zuverlässiger, freundlicher und hilfsbereiter Kollege. Und Anton Anders, Brigitte Häusler, Klaus Kolbe und er sind auch privat gute Freunde geworden.

Miss Verständnis

Es war Wilfried Winzig wirklich unangenehm, als er im Büro des Personalleiters ins Kreuzverhör genommen wurde.

„Herr Winzig, erzählen Sie mir bitte aus Ihrer Sicht, wie es dazu gekommen ist, dass Sie Frau Moddel sexuell belästigt haben", begann der Chef.

Wilfried Winzig stammelte: „Also, das war so. Ich war gerade in der Teeküche und wollte Kaffee kochen. Leider hatte ich nicht bemerkt, dass die Warmhalteplatte noch heiß war, und schon hatte ich mir die Hand verbrannt. Ich rief: ,Oh Gott, ist das heiß!' Genau in diesem Moment kam Verona Moddel in einem roten Minirock herein und schnauzte mich an, dass ich solche anzüglichen Bemerkungen unterlassen solle.

Während sie das sagte, stellte sie sich genau vor die Spüle. Dabei wollte ich doch schnell zum Wasserhahn, um meine Hand zu kühlen. Ich stehe also vor ihr und frage, ob sie mich mal ranlassen kann. Völlig hysterisch schreit sie, dass ich sie in Ruhe lassen solle. Vor Schmerzen konnte ich gar nicht antworten, statt dessen habe ich nur gestöhnt, weil es doch so weh getan hat. Sie trat immer noch nicht zur Seite und giftete mich an, dass ich mit dem Stöhnen aufhören solle.

Da entdeckte ich hinter ihr auf der Spüle eine Blumenvase, die noch mit kaltem Wasser gefüllt war. Ich dachte mir, dass es das beste wäre, wenn ich dort meine brennende Hand hineinstecken würde und deshalb bettelte ich: ,Bitte, schnell, ich brauche sie.' Währenddessen deutete ich mit dem Finger auf die Vase. Anscheinend hat Frau Moddel auch diese Geste missverstanden, denn sie beschimpfte mich als Ferkel."

Der Personalchef schob die Augenbrauen nach oben: „Aber Sie haben Frau Moddel nicht angefasst, oder?"

Wilfried Winzig druckste: „Na ja, nicht so direkt."

„Was heißt hier, nicht so direkt?", hakte der Personalchef nach.

„Also, ja, nachdem Frau Moddel nicht zur Seite ging, griff ich an ihr vorbei zur Vase. Dabei bin ich wohl mit meinem Manschettenknopf an einer ihrer Gürtelschlaufen hängen geblieben. Aus vollem Hals schrie sie, ich solle meine Hände von ihr lassen, und in diesem Moment rannte sie auch schon los.

Weil mein Manschettenknopf immer noch an der Gürtelschlaufe eingehakt war, musste ich wohl oder übel hinter ihr her rennen. In wahnsinnigem Tempo, trotz ihrer Schuhe, sauste Frau Moddel den Gang entlang und rief fortwährend, ein Sittenstrolch sei hinter ihr her. Ich gebe ja zu, dass ich während dieser Zeit meine Hand auf ihrem Po hatte, aber es ging nicht anders, ich konnte sie einfach nicht wegziehen. Deshalb versuchte ich immer wieder, sie zu beruhigen. ‚Seien Sie doch still, ich komme einfach nicht von Ihnen los', habe ich ihr hinterhergerufen.

Plötzlich kam ich ins Stolpern, verlor den Halt, und während ich fiel hörte ich ein Geräusch, das ich kaum mehr vergessen werde. Der Minirock von Frau Moddel war zerrissen, ich lag am Boden, der Minirock hing an meinem Manschettenknopf und Frau Moddel stand vor mir, mit nichts weiter bekleidet als mit ihren Stöckelschuhen, einem Stringtanga und einer Bluse. Aber ich habe das alles doch gar nicht gewollt!"

Der Personalchef wiegte nachdenklich seinen Kopf hin und her: „Welche Farbe hatte denn der Tanga?"

„Er war rot und vorne mit schwarzer Spitze gesäumt."

„Und wie sahen die Beine von Frau Moddel aus? Ich muss das nur wissen, um mir ein genaues Bild machen zu können", verteidigte sich der Personalchef, ohne angegriffen worden zu sein.

„Lang, unwahrscheinlich lang, elegant und schlank. Und darüber ein nicht zu großer, straffer Po. Im Vertrauen, es war ein entzückender Anblick. Aber ich betone noch einmal, dass es nur unglückliche Zufälle waren, die zu dieser Situation geführt haben."

Der Personalchef nickte verständnisvoll: „So, wie Sie mir die Situation geschildert haben, sind Sie wirklich unschuldig. Ich werde den Fall zu den Akten legen und den Betriebsrat darüber informieren. Herzlichen Dank, lieber Herr Winzig, dass Sie durch Ihre offene und ehrliche Aussage zur Aufklärung dieses Vorfalls beigetragen haben."

Erleichtert stand Wilfried Winzig auf und ging hinaus. Er war froh, dass der Personalchef nicht wusste, dass die Warmhalteplatte der Kaffeemaschine seit langem defekt war.

Stunde der Entscheidung

Wendelin Hals galt als eine ausgesprochen besonnene Führungskraft. Er handelte stets nach dem Motto, wichtige Entscheidungen nicht sofort zu treffen, sondern eine Nacht darüber zu schlafen. Mit dieser konsequenten Handlungsweise war er in vielen Jahren gut gefahren und hatte sich auf der Karriereleiter Sprosse für Sprosse nach oben gearbeitet. Seine Mitarbeiter hatten sich auf diese Arbeitsweise eingestellt und schätzten vor allem, nicht den üblichen Launen und Allüren einer Führungskraft ausgesetzt zu sein.

Direkt zum Jahresbeginn stand wieder ein wichtiger Beschluss an. Es ging um die Gestaltung des Messestandes. Der Messespezialist hatte als Hauptfarbe Grün vorgeschlagen, während die Marktforschungsgruppe Blau als Trendfarbe ermittelt hatte. Beide Parteien trugen Wendelin Hals, der sich fleißig Notizen machte, die Argumente vor und verabschiedeten sich mit der Gewissheit, einen Tag später die Entscheidung zu erhalten.

Am nächsten Morgen saßen der Messespezialist und der Kollege von der Marktforschung vor dem Schreibtisch von Wendelin Hals.

„Meine Herren," begann er, „ich habe mir die Geschichte durch den Kopf gehen lassen. Mein Vater hat immer gesagt, dass man bei wichtigen Entscheidungen eine Nacht darüber schlafen soll. Das habe ich auch in diesem Fall getan und ich bin nun der festen Überzeugung, dass Blau die falsche Farbe wäre."

Kaum hatte Wendelin Hals diesen Satz beendet, wandte sich der Messespezialist seinem Kollegen zu und grinste schadenfroh. Wendelin Hals bemerkte die Geste und fuhr mit der Verkündung seiner Entscheidung fort: „Ich denke außerdem, dass Grün ebenfalls die falsche Farbe wäre. Deshalb habe ich mich für Orange entschieden."

Der Messespezialist war nicht gerade glücklich über die unerwartete Entscheidung, doch als Niederlage verbuchte er sie nicht, weil sein Kontrahent ebenfalls nicht Recht bekommen hatte.

Als Wochen später die Messe lief, war kein anderer Ausstellungsstand so gut besucht wie der weithin leuchtende Stand, der – da waren sich alle Experten einig – mit dem frischen Orange neue Akzente für die ganze Branche setzte. Einmal mehr hatte sich die Taktik des Drüberschlafens bewährt.

Wendelin Hals wäre auf der Erfolgsleiter sicher noch weiter nach oben gestiegen, wären da nicht einige Neider gewesen. Ihnen waren die treffsicheren Entscheidungen seit langem ein Dorn im Auge.

Einer der fleißigsten Widersacher war Hubertus Hinterdem-Halt. Schon oft hatte er versucht, Wendelin Hals ein Bein zu stellen und ihm eine voreilige Entscheidung zu entlocken. Zwar waren alle Versuche vergebens, doch übte er sich in Geduld. Er wusste, dass die Zeit für ihn arbeiten würde, denn die zunehmende Hektik des Geschäftslebens erforderte immer öfter spontane Beschlüsse.

Die große Chance für Hubertus Hinter-dem-Halt kam in Form einer E-Mail. Eine schottische Firma wollte ein Kontingent Schnellimbisseinrichtungen bestellen, das der halben Jahresproduktion des Werkes entsprochen hätte. Der Haken lag im geradezu lachhaften Preis und in der kurzen Frist: Bis zum Abend sollte die Zustimmung erfolgen.

Hubertus Hinter-dem-Halt druckte die Mail aus und polterte in das Büro von Wendelin Hals. „Herr Hals, darf ich fünf Minuten Ihrer wertvollen Zeit in Anspruch nehmen?", säuselte er. „Hier kommt eine Anfrage aus Schottland. Ein Riesenauftrag, aber nicht ganz ohne. Allerdings müssen wir uns bis spätestens heute Abend entschieden haben. Am besten lesen Sie selbst, was Sache ist." Mit diesen Worten legte er den Ausdruck auf den Schreibtisch und verschwand. Wendelin Hals überflog die Zeilen und blickte auf die Uhr. Es war 10:30 Uhr.

Die Anfrage war sauber formuliert, es war völlig klar, was der Kunde wollte. Nur der Preis … Wendelin Hals wusste, dass er einen kühlen Kopf bewahren musste. Das Wohl der gesamten Firma lastete auf seinen Schultern. Noch mehr jedoch wog für ihn, dass sein persönliches Schicksal am seidenen Faden hing. Wendelin Hals malte sich das Bild in Gedanken aus. Er sah sich unter einem blitzenden Schwert sitzend, das von einem hauchdünnen, gesponnenen Faden gehalten wurde. Mit jeder Minute, die verging, löste sich das feine Gespinst immer weiter auf und Faser um Faser versagte unter dem Gewicht des Schwertes seinen Dienst.

Wendelin Hals schreckte hoch. Jetzt war keine Zeit, sich solche Gedanken zu machen. Es war Zeit zu handeln. Er sprang auf und setzte sich wieder. Nur keine vorschnellen Entschlüsse! Zeit gewinnen. Sich nicht bedrängen lassen. Der Faden! Klar, der Faden war mehr als ein Symbol. Der Faden war das Geheimnis seines Erfolges. Wenn es ihm gelänge, die Unversehrtheit des Fadens sicherzustellen, wäre sein Erfolgsgeheimnis gerettet – und er selber ebenfalls.

Wendelin Hals sprang auf und rief seiner Sekretärin zu, dass er für eine halbe Stunde außer Hause wäre. Beim Hinausgehen achtete er sorgfältig darauf nicht gesehen zu werden. Als ob er einen Verfolger abschütteln müsste, strebte er über verschlungene Wege, immer wieder um sich blickend, zu einer der letzten Telefonzellen in der Stadt. Er sprang hinein, kramte in seinen Hosentaschen nach Kleingeld, und als er einige Münzen gefunden hatte, steckte er sie hastig in den Schlitz. Mit flinken Fingern tippte er eine Rufnummer ein und vernahm wenige Augenblicke später den Rufton. Doch am anderen Ende der Leitung hob niemand ab. Noch ein zweites und ein drittes Mal probierte Wendelin Hals sein Glück – vergebens. Enttäuscht machte er sich auf den Weg zurück ins Büro.

Es war 11:25 Uhr. Im Treppenhaus kam ihm Hubertus Hinter-dem-Halt entgegen. „Hallo Herr Hals, wissen Sie schon wie die Entscheidung ausfällt?", erkundigte sich der Widersacher scheinheilig.

„Noch nicht, ich hatte noch etwas Privates zu erledigen. Behördengänge – Sie wissen schon. Und die Schotten haben uns Zeit bis heute Abend eingeräumt. Nur nichts überstürzen."

Mit dieser Bemerkung machte sich Wendelin Hals aus dem Staub und zog sich in sein Arbeitszimmer zurück. Das Mittagessen musste heute ausfallen, dafür war keine Zeit. Jede Sekunde, die ungenutzt verrann, war wie das Zerreißen einer weiteren Faser.

Wendelin Hals überlegte, ob er flugs ein Team bilden sollte, um gemeinsam das Für und Wider der Angebotsannahme durchzusprechen. Nach kurzem Grübeln kam er zu der Erkenntnis, dass ihm das nicht aus der Patsche helfen würde, denn würde er einen Teambeschluss erwirken, wäre sein Nimbus als letzte, nie fehlende Entscheidungsinstanz dahin und seine Autorität verloren. Und für eine falsche Teamentscheidung hätte man ihn ebenso persönlich verantwortlich gemacht.

Um 13:05 Uhr klingelte das Telefon. „Hallo, hier Hinter-dem-Halt. Lieber Herr Hals, ich will nicht drängeln, aber haben Sie schon eine Nachricht für die Schotten? Wir haben nicht mehr viel Zeit."

Wendelin Hals wusste, dass es dem Kollegen nicht um eine Antwort ging, sondern nur darum ihn zu verunsichern. Kurz davor, die Beherrschung zu verlieren, bewahrte er gerade noch die Fassung und antwortete mit merkwürdig ruhigem Ton: „Gut Ding braucht Weile, lieber Herr Hinter-dem-Halt. Sie wissen doch, dass ich meine Entscheidungen reiflich überlege. Und bis 16:00 Uhr sind es noch fast drei Stunden."

Hubertus Hinter-dem-Halt war schlau genug um zu spüren, dass die Ruhe nur gespielt war. Er hatte noch nie erlebt, dass Wendelin Hals eine wichtige Entscheidung getroffen hatte ohne vorher darüber zu schlafen. Deshalb ließ er nicht locker: „Wir können uns aber darauf verlassen, dass Sie noch heute zu- oder absagen, oder?"

Wendelin Hals seufzte, bejahte und legte auf. Ihm war schlecht.

Inzwischen war es 14:18 Uhr. Wendelin Hals starrte auf ein Blatt Papier, das vor ihm lag. Er hatte nun schon eine Stunde lang versucht, die Pros und Kontras einer Auftragsannahme aufzulisten, um die Punkte anschließend gegeneinander abzuwägen. Die beiden einzigen Argumente, die ihm bisher eingefallen waren, waren ihm jedoch nicht ergiebig genug für eine solche Analyse. Wütend auf sich selbst strich er beide einfach durch.

In diesem Moment kam Hubertus Hinter-dem-Halt mit einer neuen Boshaftigkeit zur Tür herein. Er wollte Wendelin Hals die letzte Möglichkeit nehmen, Trost zu finden in dieser schweren Stunde der Entscheidung.

„Lieber Herr Hals, keine Angst, ich frage nicht wegen der Entscheidung. Da vertraut Ihnen die gesamte Belegschaft voll und ganz. Sie werden es wie immer richtig machen. Es geht um Ihre Sekretärin. Wir müssen heute noch fünfhundert Briefe rausschicken und die Poststelle ist unterbesetzt. Könnte uns Ihre Dame unter die Arme greifen?"

Wendelin Hals antwortete gequält: „Wenn ich ehrlich bin, gebe ich sie gerade heute Nachmittag nur sehr, sehr ungern ab. Naja, helfen kann sie mir jetzt sowieso nicht. Also gut, sagen sie ihr, dass ich damit einverstanden bin."

Hubertus Hinter-dem-Hals bedankte sich. Er hatte mit mehr Widerstand gerechnet. Wendelin Hals war nun vollkommen isoliert.

Um 14:59 Uhr sah Wendelin Hals endlich einen Hoffnungsschimmer. Seine Sekretärin hatte sich gerade abgemeldet und er war allein. Seine Chancen, die brenzlige Situation zu meistern, waren sprunghaft gestiegen. Wendelin Hals stand auf, ging zur Tür des Vorzimmers, öffnete sie einen kleinen Spalt und steckte seinen Kopf hindurch. Der Gang war menschenleer. Sorgfältig schloss er wieder die Tür und schlich zurück an seinen Schreibtisch. Er griff zum Telefonhörer, wählte eine Nummer und wartete. Nervös trommelte er mit den Fingern auf der Tischplatte. „Geh ran. Geh bitte, bitte ran", murmelte er vor sich hin.

Endlich nahm jemand den Hörer ab. „Mensch, Mutti, was für ein Glück, dass du endlich zu Hause bist … ja, ich weiß, dass ich Dich nicht vom Büro aus zu Hause anrufen soll … ja, aber es ist wirklich ganz wichtig. Du musst mir dringend einen Rat geben, es geht um einen Riesen-Auftrag. Das sind die Fakten …"

15:52 Uhr. Wendelin Hals hatte eine Mail verfasst und sie elektronisch nach Schottland geschickt sowie zur Kenntnis an Hubertus Hinter-dem-Halt.

In den folgenden Monaten erwies sich die Entscheidung als goldrichtig. Während andere Firmen bedingt durch eine plötzliche branchenweite Flaute kräftig Personal reduzieren mussten, sicherte der Auftrag die Vollbeschäftigung, wenngleich er kaum Profit abwarf.

Weitere fünf Jahre fiel Wendelin Hals durch seine klugen, weitsichtigen und ausgewogenen Entscheidungen positiv auf. Dann erlosch sein Stern von einem Moment auf den anderen. Seine Mutter war gestorben und man sagt, Wendelin Hals sei nie über diesen Kummer hinweggekommen.

Wie Manfred Molta
seine Erfüllung fand

Es war die erste Führungsaufgabe für Manfred Molta. Aus vier Damen und drei Herren bestand seine kleine Truppe, mit der er von nun an die ihm gestellten Aufgaben lösen sollte. Sein Vorgänger hatte ihm während der fünfstündigen Übergabe erzählt, dass alle sieben Mitarbeiter hochmotiviert seien. Doch Manfred Molta war skeptisch. Schon Wochen vorher hatte er sich mit entsprechender Literatur eingedeckt. Nur zu gut wusste er um den Stellenwert der Mitarbeitermotivation.

Deshalb lud er als Erstes zu einem gemeinsamen Kick-off-Meeting. Dass alle Damen und Herren seines Teams pünktlich zu dem wichtigen Termin erschienen, wertete er als positives Signal.

„Liebe Kolleginnen, liebe Kollegen", begann er seine Begrüßung, „herzlichen Dank, dass Sie alle gekommen sind. Und damit wären wir schon beim ersten Punkt. Ich meine damit das Sie. Ich denke, wenn wir schon so eng zusammenarbeiten, dann sollte ich das Du anbieten. Also, ich bin der Manfred. Und um uns besser kennen zu lernen, stellen wir uns alle vor. Damit jeder weiß, wer gerade dran ist, bekommt derjenige einen Papierhut auf."

Mit diesen Worten griff er unter den Tisch, zog eine Mütze aus Zeitungspapier hervor und setzte sie auf seinen Kopf. „Also, ich bin der Manfred, bin 34 Jahre alt und ich bin euer neuer Chef. Naja, Chef ist vielleicht der falsche Ausdruck. Also, ich soll euch coachen. Mein Büro steht jederzeit offen und genauso offen können wir auch über alles reden."

Manfred Molta nahm die Mütze ab und setzte sie der Mitarbeiterin links neben sich auf den Kopf. Völlig überrascht, mit stammelnden Worten, begann sie sich vorzustellen.

Nachdem die Mütze reihum gegangen war, wies Manfred Molta sein Team darauf hin, dass er ab sofort jeden Montag ein zweistündiges Meeting abhalten würde, weil er es als wichtige Führungsaufgabe ansah, Informationen weiterzugeben.

Kaum war er in seinem Büro verschwunden, begannen die Kolleginnen und Kollegen eine heftige Diskussion: „Sagen Sie mal, Herr Schulz, das ist doch ein starkes Stück. Ich gehe auf die 60 zu und der junge Schnösel bietet mir einfach das Du an. So geht das doch nicht. Verdiene ich denn gar keinen Respekt mehr?"

„Ja, und schauen Sie sich mal meine Frisur an. Die ist total ruiniert. Ich wollte heute Abend in die Oper gehen. Aber das kann ich wohl vergessen. Wir sind doch nicht im Kindergarten oder bei Burger Mac. Was soll der Firlefanz mit der Papiermütze?"

„Und zu alledem dürfen wir jetzt noch wöchentlich zwei Stunden unserer Zeit opfern. Wie soll ich da meine Projekte durchziehen?"

„Die Infos, die uns dieser Jungspund geben kann, die habe ich garantiert schon eine Woche vorher."

Währenddessen studierte Manfred Molta in seinem Büro einige Statistiken. Im vergangen Jahr lag sein Team in der Aufgabenerfüllung laut der monatlichen Auswertungen stets weit über 100%. Es würde schwer werden, das Team zu motivieren, diese Leistung zu halten. Doch Manfred Molta hatte sich längst ein ganzes Bündel an Motivationsmaßnahmen überlegt. Mit flinken Fingern tippte er eine Einladung in seinen PC. Seinem Team sollte es richtig gutgehen und deshalb lud er es zu sich nach Hause ein. Freitagabend sollte die große Get-together-Party steigen.

Die Verärgerung der Mitarbeiter, nun auch noch die Freizeit opfern zu müssen, bekam Manfred Molta nicht mit. „Der Kerl ist noch nicht einmal eine Woche da und schon hab' ich die Schnauze voll. Kann man denn nicht mal am Wochenende seine Ruhe haben? Ich arbeite gerne für die Firma und länger zu bleiben macht mir nichts aus. Aber irgendwann muss Schluss sein."

„Sie haben gut reden, Frau Kachel. Ich wollte am Freitagabend ins Gebirge fahren. Das kann ich wohl vergessen."

„Was soll ich da sagen, Herr Dumpel? Wenn ich nicht am Freitagabend an den Tabellen sitze, werde ich das Projekt Montagfrüh nicht fertig haben. Dabei habe ich es den Kaufleuten versprochen!"

Manfred Molta kannte seine Mitarbeiter noch nicht gut genug, um an dem Freitagabend die schlechte Stimmung zu spüren. Als sich sein Team geschlossen verabschiedet hatte, atmete er erleichtert und zufrieden auf. Mit diesem Abend, so seine Einschätzung, dürfte es ihm gelungen sein, das Team hinter sich zu bringen.

Aber die erste monatliche Auswertung brachte die Ernüchterung. Der Erfüllungsgrad war unter die 100%-Marke gefallen. Manfred Molta musste handeln. Er wusste inzwischen vom überdurchschnittlichen zeitlichen Einsatz seines Teams. Der Grund für das Sinken des Erfüllungsgrades konnte demzufolge nur schlechtes Zeitmanagement sein.

Einen ganzen Vormittag verbrachte er damit, den bekannten Trainer Norbert von Kragen zu engagieren. Norbert von Kragen galt als Guru des Zeitmanagements und so war es auch kein Wunder, dass er innerhalb einer Woche den Plan für ein sechstägiges Seminar auf die Beine stellen konnte.

Als das Team von der Weiterbildungsmaßnahme erfuhr, gab es eine lautstarke Debatte. „Mir reicht es! Ich suche mir einen anderen Job. Seit 28 Jahren bin ich immer für meine Effizienz gelobt worden. Meine Prozesse habe ich so gut durchorganisiert, dass selbst die Unternehmensberater begeistert waren. Und nun soll ich sechs wertvolle Tage bei so einem Seminar verschwenden!"

„Frau Reich, haben Sie denn gehört, wer das Seminar halten soll? Norbert von Kragen! Der Norbert von Kragen, der bei uns gefeuert wurde, weil er nie rechtzeitig mit seinen Projekten fertig wurde."

„Montag beginnt das Seminar und es endet am Samstag. Ich wollte doch mein versäumtes Wochenende in den Bergen nachholen. Und das verkauft uns der Molta unter dem Stichwort Motivation. Das ist der Hammer!"

Das Seminar wurde ein voller Erfolg – zumindest für Norbert von Kragen. Er steckte ein fünfstelliges Honorar ein und hinterließ Manfred Molta und seinem Team ein modernes Zeitplanungskonzept auf PC-Basis.

Als Manfred Molta am Montag die aktuelle Statistik über den Erfüllungsgrad betrachtete, zuckte er zusammen. Der Wert lag bei 83%.

Molta war froh, den Sonntag damit verbracht zu haben, das Zeitplanungskonzept auf seinem Notebook zu installieren. Er wies alle Mitarbeiterinnen und Mitarbeiter an, die

Software ebenfalls schnellstens anzuwenden und verbrachte die nächste Stunde damit, die fünf Termine des Montags in das Programm einzugeben. Anschließend besuchte er sein Team, das fluchend an den Tastaturen saß. „Liebe Kolleginnen und Kollegen, ich sehe schon, dass ihr dabei seid die Software zu installieren. Ich selbst wende sie bereits an und ich bin hochzufrieden. Ein kleiner Tipp: Ihr könnt euch bei wichtigen Terminen zwanzig, fünfzehn, zehn und fünf Minuten vorher erinnern lassen. Ihr müsst nur die STRG-Taste und die rechte Maustaste gedrückt halten und gleichzeitig nacheinander die F1-, F5- und F9-Taste drücken. Danach springt ihr auf POS1 und auf ENDE. Geht ganz leicht. Übrigens, wo steckt eigentlich Herr Dumpel?"

Das Team verwies auf das ärztliche Attest, welches Manfred Molta doch längst auf seinem Schreibtisch haben müsse, und darauf, dass es in dem Seminarraum doch sehr kalt gewesen sei und sich Herr Dumpel wohl den Unterleib verkühlt hätte. Manfred Molta kehrte in sein Büro zurück und verbrachte den Rest des Tages damit, die Termine für den Dienstag in das Programm einzugeben.

Die nächste Statistik über den Erfüllungsgrad ließ endgültig die Alarmglocken klingeln. Neben den 72% stand eine handschriftliche Bemerkung des zuständigen Vorstands, was denn in der Abteilung neuerdings los wäre.

‚Geld', schoss es Manfred Molta durch den Kopf. Warum war er nicht eher darauf gekommen? Schlagartig war ihm klar, dass er dicke Sonderprämien ausloben müsse, um die Mitarbeiter zu motivieren. Er setzte ein entsprechendes Schreiben auf, jagte es durch den Kopierer und verteilte es noch am gleichen Tag an sein Team, bei dem sich die Begeisterung aber in Grenzen hielt.

„Mensch, hat der Molta denn überhaupt kein Gespür? Was soll ich denn mit der Prämie? Wenn die Abzüge weg sind, bleibt doch nichts mehr übrig."

„Bei mir geht sowieso alles an meine zwei geschiedenen Frauen. Ich sehe gar nicht ein, dass ich mich reinhänge, um es denen in den Rachen zu schieben."

„Und mir ist die Prämie total egal. Mit unseren Mietshäusern haben mein Mann und ich schon lange ausgesorgt. Als ob es mir ums Geld ginge. Bislang habe ich gearbeitet, weil ich die Herausforderung liebe. Leute, das Fass ist übergelaufen. Ich kündige!", beendete Frau Reich den Meinungsaustausch.

Am nächsten Morgen lag tatsächlich die Kündigung von Frau Reich auf Manfred Moltas Schreibtisch. Frau Reich erschien auch gar nicht mehr zur Arbeit. Während Manfred Molta in den darauffolgenden Tagen verzweifelt nach Ersatz suchte, drückte ihm der Bürobote die neue Statistik und ein zugeklebtes Kuvert in die Hand. Der aktuelle Wert des Erfüllungsgrades lag bei 57%. Das Kuvert enthielt ein Schreiben vom Vorstand. Man danke Manfred Molta für sein Engagement und lege ihm nahe sich beruflich anderweitig zu orientieren, hieß es auf dem Papier.

Sechs Wochen später verließ Manfred Molta die Firma, einen Erfüllungsgrad von 45% hinter sich lassend.

Es heißt, er hätte sich inzwischen einen guten Ruf als Motivationstrainer erworben und würde eng mit Norbert von Kragen zusammenarbeiten.

Wie der Nikolaus richtig arbeiten musste

„Du bist faul!", warf das Christkind dem Nikolaus vor. „Andere müssen das ganze Jahr arbeiten und haben kaum Urlaub. Du aber arbeitest nur an einem einzigen Tag. Und nun willst du auch noch mehr Geld! Nein, mein Guter, so haben wir nicht gewettet."

Sichtlich verärgert antwortete Nikolaus, dass er doch nichts dafür könne, wenn nur an einem einzigen Tag im Jahr Nikolaustag wäre. Und überhaupt, an diesem einen Tag müsse er sich derart verausgaben, dass er schon etwas Erholung bräuchte.

„Blödsinn! Absoluter Blödsinn!", erboste sich das Christkind. „Natürlich ist viel zu tun an diesem einen Tag. Aber habe ich dir nicht vor zwei Jahren das Notebook bewilligt? Wie hast du früher gejammert, weil du das schwere Buch mitschleppen musstest. Und wie umständlich war es, immer nachzuschlagen, um die Aufzeichungen über das Kind zu finden, welches du gerade beschert hast. Heute klickst du die Datei an und schon weißt du genau Bescheid, wer vor dir steht.

Im letzten Jahr hast du mir erzählt, dass die Rentiere nicht mehr zeitgemäß wären und du einen neuen Schlitten bräuchtest. Ich habe ihn genehmigt. Aber was hast du gemacht? Hast dir diesen teuren Amischlitten gekauft. Eine Corvette! Der Nikolaus fährt mit einer Corvette vor. Von wegen Jingle Bells. Der satte Sound von acht Zylindern dröhnt heute den Kids entgegen, wenn sie nach dir Ausschau halten. Überhaupt – wie oft soll ich es denn noch sagen: Nimm die Sonnenbrille ab, wenn ich mit dir rede!"

Nun war Nikolaus an der Reihe, seinen Ärger loszuwerden: „Ja, ja. Das Notebook hältst du mir immer wieder vor. Von wegen Arbeitserleichterung. Ist dir schon mal die Datei abgestürzt? Kennst du das Gefühl, vor einem Kid zu stehen und, statt cool alles Gute und Schlechte vorzulesen, siehst du nur eine Fehlermeldung? Abgesehen davon dauert es ewig, bis der Nikolaus Assistent hochgefahren ist. Hör mir bloß auf mit dem Notebook.

Die Corvette habe ich mir gekauft, weil mich auf der Autobahn jeder versägt hat, aber wirklich jeder! Wie soll ich da meine Termine halten?

Wenn ich schon nicht mehr Geld bekomme, möchte ich wenigstens eine Sekretärin, die mich begleitet."

Das Christkind legte die Stirne in Falten. „Also gut. Einigen wir uns darauf: Du bekommst einen neuen Kollegen. Gestern hat sich ein Herr Ruprecht vorgestellt. Der hat einen guten Eindruck auf mich gemacht. Er wird dich künftig begleiten. Ach, noch etwas: Unsere PR-Abteilung hat ermittelt, dass es mehr Eindruck macht, wenn ich Heiligabend nicht allein auftrete, sondern auch einen Begleiter habe. Du wirst also ab sofort neben der Rolle des Nikolaus auch die Rolle des Weihnachtsmanns übernehmen. Ende der Diskussion. Mach die Tür bitte von draußen zu."

Ein paar Jahre später, nachdem sich die Zusammenarbeit eingespielt hatte, gab es eine erneute Diskussion zwischen dem Christkind und dem Nikolaus.

„Ich habe eine neue Untersuchung von unserer Markt-forschung erhalten", begannn das Christkind. „Wir ver-markten das Osterfest zu schlecht. Die Kids haben kaum Interesse an diesem wichtigen Event. Zum Glück hat die PR-Abteilung eine tolle Idee gehabt. Hier, zieh dir mal das Kostüm an."

Ungläubig stierte Nikolaus auf die Plüschteile. „Niemals! Niemals werde ich in dieses Kostüm schlüpfen. Ich lass mich doch nicht zum Narren machen."

Das Christkind trat ans Fenster und blickte sinnierend hinaus. „Was glaubst du, lieber Nick, wie viele Leute da draußen stehen und auf deinen Job warten? Soll ich sie rein-holen? Willst du das wirklich aufs Spiel setzen? Wir müssen unsere Produktivität steigern und unseren Shareholdern etwas bieten. Du machst den Osterhasen oder du fliegst."

Betreten ging Nikolaus aus dem Zimmer. Was blieb ihm anderes übrig, als sich in sein Schicksal zu fügen?

So kam es, dass sich die Kinder nicht nur auf den Niko-laus und den Weihnachtsmann freuten, sondern auch auf den Osterhasen.

Doch die Arbeit vom Nikolaus sollte sich noch dramati-scher verändern, denn nicht lange darauf hatte das Christ-kind wieder zu einem Meeting eingeladen.

„Nikolaus, die Lage ist kritisch. Unsere Erträge sind dras-tisch gesunken. Wenn nicht bald etwas geschieht, können wir den Laden dicht machen. Aber ich habe eine Vision. Du hast schöne lange Beine, du redest, wie dir der Schnabel gewachsen ist, du kennst dich mit Kindern aus und du kannst fliegen …"

Weiter kam das Christkind nicht.

„Nein!" schrie Nikolaus, „nein, nein, nein und nochmals nein. Den Klapperstorch mach' ich nicht. Ich geh zum Betriebsrat. Das lass ich nicht mit mir machen."

„Der Betriebsrat ist einverstanden", lächelte das Christkind, „er kennt den Ernst der Lage und ist auf meiner Seite. Du machst den Klapperstorch. Punkt."

Seit dieser Zeit glauben viele Menschen an den Nikolaus, an den Weihnachtsmann, an den Osterhasen und an den Klapperstorch. Nur manchmal, wenn ein weißes Pärchen ein schwarzes Baby bekommt, hört man die Leute sagen, dass da wohl der Weihnachtsmann im Spiel war.

Glühwein auf Mallorca

Werner Rupp stand am Fenster, die Hände tief in den Hosentaschen vergraben. Gedankenverloren blickte er den Blättern nach, die bunt gefärbt zur Erde fielen. Die Natur schaltete einen Gang zurück; sie bereitete sich auf den Winter vor. Werner Rupp schüttelte sich. Winter! Kälte! Dunkle Nächte! Er hasste die kalte Jahreszeit. Scheußliches Wetter. Werner Rupp schloss die Augen.

„Scheußliches Wetter!" Werner Rupp zuckte zusammen und drehte sich um. Hinter ihm stand Rocky.

„Ach, Du bist es", sagte Werner Rupp zu seinem Kollegen.

Rocky galt in der Firma als das Unikum schlechthin. Ständig sprühte er vor Ideen, nie war man vor ihm sicher. Er war das genaue Gegenteil von Werner Rupp, der stets ernst durch das Leben schritt und Neuem immer erst argwöhnisch gegenüberstand. Doch in einem Punkt waren sich beide einig: Dem Winter konnten sie nichts abgewinnen. Wenn sich die Temperaturen dem Nullpunkt näherten, träumten sie schon seit ein paar Jahren gemeinsam davon, in den Süden zu reisen, sich auf einer warmen Insel niederzulassen und sich dem süßen Nichtstun hinzugeben.

Rocky stellte sich neben Werner Rupp ans Fenster: „Werner, es wird kalt. Zeit fürs Auswandern."

Werner Rupp seufzte: „Ja, heute früh musste ich zum ersten Mal seit dem letzten Winter die Scheibe am Auto freikratzen. Ach, wäre es schön, jetzt auf einer Insel in der Südsee zu liegen, ab und zu ein paar Muscheln an Touristen zu verkaufen und sich von den Sonnenstrahlen verwöhnen zu lassen."

„Mit dem Verkauf von Muscheln würden wir uns kaum über Wasser halten können," meinte Rocky, „man müsste eine richtige Marktlücke finden. Wären wir auf der Osterinsel, könnten wir Osterhasen und Ostereier verkaufen."

Werner Rupp schüttelte sich erneut: „Wie kannst Du an Ostern denken? Ich wünschte, es wäre schon Frühling. Aber erst einmal kommt Weihnachten, wobei es vielleicht gar nicht schlecht wäre, Weihnachten auf Mallorca zu feiern. Obwohl – so ohne Tannenbaum, ohne Kerzen und ohne Räuchermännchen würde mir das nicht gefallen."

Rocky schrie auf: „Das ist es!"

Werner Rupp zuckte zusammen und fragte ahnungslos nach: „Wie? Was?" Rocky sprühte vor Begeisterung: „Weihnachten auf Mallorca! Es gibt keine Tannenbäume. Es gibt keinen Weihnachtsschmuck. Es gibt keine Räuchermännchen. Und wo es nichts gibt, ist eine Lücke. Verstehst Du, Werner? Das ist die Lücke! Tausende von Rentnern verbringen Weihnachten auf Mallorca. Ohne Tannenbaum, ohne Kerzen, ohne Räuchermännchen. Aber nicht mehr lange, denn wir zwei werden auf Mallorca einen Weihnachtsladen eröffnen."

Wenige Wochen später war der Plan in die Tat umgesetzt worden. Werner Rupp und Rocky waren nach Mallorca geflogen, hatten sich nach einem geeigneten Laden umgesehen und schließlich waren sie fündig geworden. Direkt neben dem berühmt-berüchtigten „Knallerfrau Sieben" hatten sie einen Schnapsladen ausfindig gemacht, der Konkurs angemeldet hatte. Die Räume waren ideal, zumal sich die Ladeneinrichtung als passend für den Verkauf von Weihnachtsartikeln erwies. Über das Internet hatte Rocky Lieferanten recherchiert und gleich einige Bestellungen aufgegeben, denn die Zeit drängte. Viel Zeit blieb nicht mehr bis zum Weihnachtsfest. Die Idee für den Namen des Geschäftes kam von Werner Rupp. Er hatte einen Namen mit Bezug zum Weihnachtsfest vorgeschlagen, und so kam es, dass neben der bekannten Neonreklame von „Knallerfrau Sieben" ein Schild hing, auf dem in großen Buchstaben „Dezember 24" zu lesen war.

Pünktlich zum 1. Dezember wurde der Laden eröffnet. Um die Bekanntheit zu steigern, hatten die beiden Geschäftsführer drei im Winter arbeitslose Einheimische angeheuert, die als Nikolaus verkleidet durch die Straßen zogen, unüberhörbar mit einer Glocke läuteten und dabei lautstark verkündeten, dass es ab sofort die ersten richtigen Weihnachtsartikel auf Mallorca im „Dezember 24" gäbe.

Der Zuspruch, den diese Werbung erzeugte, übertraf die Erwartungen von Werner Rupp und Rocky bei weitem. Scharen von auf Mallorca überwinternden Rentnern stürmten den Laden und nicht wenige von ihnen hatten Tränen in den Augen, wenn sie vor den Regalen standen und die Pyramiden, Krippen, Engel und Räuchermännchen betrachteten. Im Hintergrund hörte man „Stille Nacht".

„Sentimentalität lockert den Geldbeutel", bemerkte Rocky. „Was meinst du, was hier erst los ist, wenn in der nächsten Woche die Tannenbäume geliefert werden?", frohlockte Werner Rupp.

Rocky pflichtete ihm bei und gab gleich eine neue Idee zum Besten: „Wir werden die Tannenbäume nicht verkaufen, sondern versteigern."

In der darauf folgenden Woche musste die Polizei anrücken, weil verängstigte Anwohner einen Aufstand bei „Dezember 24" gemeldet hatten. Die Beamten sorgten zunächst einmal für Ruhe und stellten dann fest, dass die Tumulte keinen politischen Hintergrund hatten, sondern lediglich die Versteigerung von Tannenbäumen. Mit bloßen Fäusten und mit Gehstöcken waren die Interessenten aufeinander losgegangen, nachdem sich herausgestellt hatte, dass die Zahl der Bäume den Bedarf auch nicht annähernd hätte decken können.

Dem gewissenhaften Ordern von Nachschub hatten es Werner Rupp und Rocky zu verdanken, dass der Laden am Heiligen Abend nicht leergekauft war. Die Regale waren gut gefüllt, doch viel wichtiger war die prall gefüllte Kasse. Die beiden Geschäftsführer konnten das Weihnachtsfest und den Jahreswechsel zufrieden und sorgenfrei genießen. Pünktlich zum 2. Januar schloss Werner Rupp den Laden wieder auf, doch an diesem Tag stellte sich keine Kundschaft ein. Das blieb auch in den nächsten Tagen und Wochen so. Der Laden blieb leer. Lediglich einmal klingelte die Ladenglocke, aber der Besucher wollte nur Geld gewechselt haben. Bei Rupp und Rocky machte sich Krisenstimmung breit.

„Wir haben uns zwar dumm und dämlich verdient, doch unsere Einnahmen reichen mit Sicherheit nicht aus, um uns über den ganzen Sommer zu retten. Schließlich müssen wir jeden Monat Miete bezahlen", lamentierte Werner Rupp.

Rocky zog seine Stirn in Sorgenfalten: „Mir fällt auch auf, dass die Rentner abziehen. Das Publikum auf der Insel wird immer jünger, und dieses Jungvolk hat mit Weihnachten nichts am Hut. Die wollen doch nur saufen und feiern."

Werner Rupp seufzte: „Rocky, du hast recht. Kein Jugendlicher kauft im Sommer eine Christbaumkugel, wenn er nüchtern ist."

In diesem Moment hatte Rocky wieder einen seiner verrückten Einfälle: „Stimmt, Werner, stimmt! Wenn sie nüchtern sind, dann nicht. Werner, unser Laden liegt direkt neben ‚Knallerfrau Sieben'. Wir verkaufen ab sofort nicht mehr Weihnachtsschmuck, sondern Stimmung."

Im Nu wurden wieder die drei Nikoläuse engagiert, die im Mai zwar deutlich mehr Geld wollten, dafür aber natürlich noch mehr Aufmerksamkeit auf sich zogen als im Dezember. Statt mit Glocken zu bimmeln machten die Nikoläuse diesmal mit kleinen Trommeln ordentlichen Lärm. Trotz der unüberhörbaren Werbung war das „Dezember 24" am ersten Abend keineswegs überlaufen. Ein rundes Dutzend Jugendlicher hatte sich eingefunden, nur weil sie es cool fanden, im Mai einen Weihnachtsladen zu besuchen, zudem hatten die Nikoläuse Stimmung versprochen. Genau die gab es jedoch nicht. Zu seinem Entsetzen stellte Rocky fest, dass er vergessen hatte, Sangria einzukaufen.

Werner Rupp war sauer: „Mensch Rocky, wie konntest du vergessen, Sangria zu organisieren? Obwohl, so kalt wie es heute ist, haben unsere Gäste sowieso keine große Lust auf eisgekühlte Sangria. Da wäre ein Glühwein schon besser. Den hätten wir sogar auf Lager."

Ohne ein Wort zu sagen sprang Rocky auf und verschwand für eine halbe Stunde im Lager. Werner Rupp nahm an, seinen Partner verärgert zu haben und versuchte, die Gäste mit einigen Flaschen Cola, seiner einzigen privaten Flasche Rum und hippigen Liedern vom CD-Player bei Laune zu halten.

Plötzlich tauchte Rocky im Laden auf. Mühevoll schleppte er einen großen Eimer mit dampfenden Glühwein und stellte ihn zwischen die Gäste. „Weil wir heute unsere erste Party feiern, geht das auf Kosten des Hauses. Die Trinkhalme sind hier", bemerkte er trocken. Die Jugendlichen zögerten, griffen sich dann aber doch die Trinkhalme und begannen kräftig zu saugen. Eine halbe Stunde später war der Laden in Stimmung.

Rocky nahm die Hiphop-CD aus dem Player und legte Weihnachtslieder auf. Bald schon hörten die Einheimischen, wie eine kleine Horde jugendlicher Touristen „Oh du fröhliche" grölte.

Für „Dezember 24" war dieser Abend der Durchbruch. Am nächsten Morgen sprach es sich wie ein Lauffeuer am Strand herum, dass im Weihnachtsschuppen die Post abging. Schon am dritten Abend musste Rocky als Türsteher einspringen, weil der Andrang zu groß war.

Die anfänglichen Nachschubprobleme mit dem Glühwein löste Rocky auf seine Art. Er hatte herausgefunden, dass man ab dem zweiten Eimer Glühwein bedenkenlos auch heiße Sangria hinstellen konnte, da ab diesem Zeitpunkt keiner der Gäste mehr in der Lage war, den Unterschied zu schmecken. Der Höhepunkt des Abends war regelmäßig das Anstimmen von „Stille Nacht". Dazu wurde jeweils eine Weihnachtspyramide aus dem Erzgebirge angezündet. Hatten Werner Rupp und Rocky zur Weihnachtszeit schon gut verdient, übertrafen die Einnahmen durch die abendlichen Feten jegliche Vorstellung der glücklichen Geschäftsführer.

Der Sommer verging, die Tage wurden kühler und mit dem Sonnenschein verschwanden auch die jugendlichen Touristen. Die Abende im „Dezember 24" wurden stiller. Zunächst war es Werner Rupp ganz recht, denn die Saison hatte ihn körperlich ganz schön mitgenommen.

„Rocky, was meinst du, machen wir den Laden dicht und feiern Weihnachten in Deutschland? Mit Schnee, Kälte und einem frisch geschlagenen Tannenbaum? Im Frühjahr kommen wir zurück und legen wieder los", fragte Rupp seinen Partner.

Rocky reagierte gereizt: „Hast du nicht mehr alle beisammen? Unsere ursprüngliche Idee war doch, mit dem Weihnachtsladen auf Mallorca dem blöden Winter zu entgehen. Ich habe keine Lust auf Schnee und Kälte und sehe auch nicht ein, warum wir uns das Geschäft mit den Rentnern entgehen lassen sollten!"

Werner Rupp gab nicht auf: „Mag ja sein, Rocky, aber nach all den heißen Tagen sehne ich mich nach einem frostigen Dezembertag. Ich will morgens aufwachen, nicht an tannenbaumkaufende Rentner denken müssen, sondern selber auf den Weihnachtsmarkt gehen, um mir einen Weihnachtsbaum auszusuchen."

Rocky stellte sich direkt vor Werner Rupp. „Werner, du bist ein Schlappschwanz. Gerade mal eine Saison haben wir hinter uns, und schon machst du schlapp."

Werner Rupp wollte das nicht auf sich sitzen lassen: „Rocky, sei doch mal ehrlich. So toll ist der Winter hier doch auch nicht. Wir haben damals von der Südsee geträumt. Von wirklich warmen Wintertagen. Auf Mallorca haben wir im Winter doch auch scheußliches Wetter."

Rocky packte Werner Rupp am Kragen und schüttelte ihn: „Scheußliches Wetter, gell? Scheußliches Wetter!"

Werner Rupp drehte sich um. Hinter ihm stand Rocky.

„Ach, Du bist es", sagte Werner Rupp. „Ich glaube, ich habe eben geträumt. Wenn der Winter kommt, werde ich immer melancholisch. Abgesehen davon, Rocky – ich habe so eine Idee, die ich dir unbedingt erzählen muss."

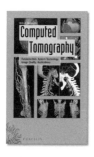